KT-487-335

La increïble història de...

M

David Walliams

La increïble història de...
EL NOI
DEL VESTIT

Il·lustracions de
Quentin Blake

Traducció de
Xevi Solé

montena

Paper certificat pel Forest Stewardship Council®

Títol original: *The Boy in the Dress*
Segona edició: maig del 2016
Cinquena reimpressió: juliol del 2021

Publicat originalment al Regne Unit per HarperCollins Children's Books,
una divisió de HarperCollins Publishers Ltd.

© 2008, David Walliams
© 2008, Quentin Blake, per les il·lustracions i
el *lettering* del nom de l'autor a la coberta
© 2016, Penguin Random House Grupo Editorial, S. A. U.
Travessera de Gràcia, 47-49. 08021 Barcelona
© 2009, Xevi Solé Muñoz, per la traducció
Il·lustració de la coberta: Quentin Blake

Printed in Spain – Imprès a Espanya

ISBN: 978-84-9043-564-9
Dipòsit legal: B-25.804-2015

Compost a Compaginem Llibres, S. L.
Imprès a Reinbook Serveis Gràfics, S. L.
Sabadell (Barcelona)

GT 3 5 6 4 C

Per a l'Eddie,
quina alegria que ens has donat a tots

1

Prohibit abraçar-se

En Dennis era diferent.

Quan es mirava al mirall veia un noi de dotze anys normal i corrent. Però se sentia diferent: tenia idees plenes de color i poesia, tot i que la seva vida podia ser molt avorrida.

La història que us explicaré comença aquí, a la casa normal d'en Dennis en un carrer normal d'una ciutat normal. La seva casa era gairebé igual que totes les que hi havia al carrer. Una casa tenia vidre doble; l'altra, no. Una altra tenia un caminet d'entrada de graveta; l'altra, un paviment desigual. Una casa tenia un Vauxhall Cavalier a l'entrada, una altra tenia un Vauxhall Astra. Petites diferències que només aconseguien reforçar la uniformitat de tot.

Tot era tan ordinari, que per força havia de passar alguna cosa extraordinària.

En Dennis vivia amb el seu pare —que, tot i que tenia un nom, en Dennis anomenava «pare», així que jo també ho faré— i el seu germà gran, en John, que tenia catorze anys. En Dennis se sentia frustrat perquè el seu germà sempre seria dos anys més gran, i més alt, i més fort.

La mare d'en Dennis se n'havia anat de casa feia un parell d'anys. Abans d'allò, en Dennis solia sortir de quatre grapes de la seva habitació i s'asseia al capdamunt de les escales per escoltar com els seus pares s'escridassaven, fins que un dia els crits van desaparèixer.

La mare se n'havia anat.

El pare havia prohibit a en John i en Dennis

tornar a esmentar el nom de la mare. I, poc després que marxés, va recórrer tota la casa, va agafar totes les fotografies on ella sortia i les va cremar fent una foguera.

Però en Dennis en va aconseguir salvar una.

Una única fotografia va escapar de les flames, i es va allunyar de la calor que desprenia el foc, volant a través del fum per caure sobre una bardissa.

Quan va arribar l'albada, en Dennis es va esmunyir cap a fora i va recollir la fotografia. Estava so-

carrimada i amb les puntes ennegrides, i la seva primera reacció va ser entristir-se, però quan la va posar sota la llum, va veure que la imatge era tan clara i nítida com sempre.

Mostrava una escena alegre: en John i en Dennis, més petits, amb la mare a la platja, amb la mare duent un vestit groc preciós amb flors estampades. A en Dennis aquell vestit li encantava; estava ple de color i de vida, i tenia un tacte suau. Quan la mare se'l posava volia dir que havia arribat l'estiu.

Des que havia marxat, havia fet calor, però en aquella casa mai no havia tornat a ser estiu.

A la fotografia en Dennis i el seu germà sortien amb banyadors curts mentre menjaven dos gelats de cucurutxo, amb la vainilla caient-los per les boques somrients. En Dennis es va guardar la fotografia a la butxaca i cada dia se la mirava d'amagat. A la seva mare la veia dolorosament bonica, tot i que tenia un somriure insegur. En Dennis es passava hores contemplant-la, intentant imaginar què devia estar pensant quan l'hi havien fet.

Des que la mare havia marxat, el pare no parlava gaire, però, quan ho feia, sovint cridava. Així, doncs, en Dennis va acabar mirant molta estona la tele, sobretot el seu programa preferit, *Trisha*. En Dennis n'havia vist un episodi, sobre gent deprimida, i pensava que potser el seu pare ho estava.

A en Dennis li encantava *Trisha*. Era un programa d'entrevistes en el qual gent normal i corrent tenia la possibilitat de parlar dels seus problemes, o cridar i insultar els seus parents, i tot era presidit per una dona molt crítica que, molt convenientment, es deia... Trisha.

Durant un temps, en Dennis va pensar que la vida sense la mare seria una mena d'aventura. Es llevaria tard, s'alimentaria de menjar per emportar i veuria comèdies barroeres. No obstant això, a mesura que els dies es convertien en setmanes, i les setmanes es convertien en mesos, i els mesos, en anys, va comprendre que no seria cap aventura.

Simplement, seria trista.

En Dennis i en John s'estimaven de la manera que s'havien d'estimar perquè eren germans. Però en John sovint posava a prova aquest amor fent coses que ell es pensava que eren divertides, com asseure's sobre la cara d'en Dennis i tirar-se un pet. Si tirar-se pets fos un esport olímpic (mentre escric això, em diuen que no ho és, cosa que és una pena), hauria guanyat unes quantes medalles d'or i segurament hauria estat nomenat cavaller per la reina.

Ara, lector, potser pensaràs que, com que la seva mare havia marxat, els dos germans es devien sentir més units.

Malauradament, s'havien allunyat més.

A diferència d'en Dennis, en John estava ple de ràbia silenciosa contra la seva mare per haver marxat, i pensava, com el pare, que era millor no tornar a mencionar-la. Era una de les normes de la casa.

No es podia parlar de la mare.

No es podia plorar.

I, el pitjor de tot, no es podien fer abraçades.

En Dennis, per la seva banda, estava ple de tristesa. De vegades, trobava tant a faltar la mare que, a la nit, plorava al llit. Intentava plorar tan silenciosament com podia, perquè ell i el seu germà compartien habitació i no volia que en John el sentís.

Però una nit els sanglots d'en Dennis van despertar en John.

—Dennis? Dennis? I ara, per què plores? —va preguntar en John des del llit.

—No ho sé... Només és que... bé... simplement voldria que la mare fos aquí, això és tot —va respondre en Dennis.

—Bé, no ploris. Ha marxat i no tornarà.

—Això, no ho saps...

—Mai no tornarà, Dennis. I ara para de plorar. Només ploren les noies.

Però en Dennis no podia parar de plorar. El dolor pujava i surava dins seu com el mar, enfonsant-lo, i fent que es desfés en llàgrimes. Però no volia molestar el seu germà, així que plorava tan silenciosament com podia.

Així, doncs, us deveu preguntar: per què en Dennis era tan diferent? Fet i fet, aquest noi vivia en una casa normal i corrent, en un carrer normal i corrent, en una ciutat normal i corrent.

Bé, doncs, encara no us diré el perquè, però la clau podria ser en el títol d'aquest llibre...

2

Un pare gras

El pare d'en Dennis no parava de saltar i fer crits d'alegria. I, llavors, va fer una abraçada ben forta a en Dennis.

—Dos a zero —va cridar—. Els hem donat una bona lliçó, oi, fill?

Sí, ja sé que havia dit que estava prohibit fer abraçades a casa d'en Dennis, però allò era diferent.

Era futbol.

A casa d'en Dennis parlar de futbol era més fàcil que parlar de sentiments. A ell, a en John i al pare el futbol els encantava, i junts compartien les alegries i (més sovint) les tristeses que comporta ser seguidor de l'equip local de tercera divisió.

Però, tan bon punt el partit acabava i l'àrbitre feia sonar el xiulet, era com si aquell soroll marqués el retorn a la seva estricta política de prohibit abraçar-se.

En Dennis trobava a faltar les abraçades. La mare l'abraçava contínuament. Era tan afectuosa i tendra, li encantava que li fes manyagues. La majoria de nens es moren de ganes de créixer i fer-se

grans, però en Dennis trobava a faltar ser petit perquè la mare l'abracés. Era als seus braços on se sentia més segur.

Era una pena que el pare d'en Dennis no l'abracés gairebé mai. La gent grassa és molt bona fent abraçades; són afectuosos i tendres, com un sofà gran i còmode.

Ah, sí, no us ho havia dit? El pare era gras.

Molt gras.

El pare treballava com a camioner de llarga dis-

tància. I tot el temps que passava assegut conduint havia deixat la seva empremta, perquè únicament estirava les cames per anar a la cafeteria de l'àrea de servei i menjar diversos plats combinats amb ous, salsitxes, cansalada, mongetes i patates fregides.

De vegades, després d'esmorzar, el pare menjava dues bosses de patates. Després que la mare se n'anés, el pare no havia parat d'engreixar-se. En Dennis havia vist un episodi de *Trisha* en què sortia un home que es deia Barry que estava tan gras que no es podia eixugar el cul. El públic de l'estudi va escoltar quina era la seva dieta diària amb crits de «oh», «ah», en una mescla estranya de sorpresa i horror. Aleshores, la Trisha li va preguntar per què menjava tant:

—Trisha, m'encanta menjar —va respondre en Barry amb un somriure de satisfacció.

La Trisha va dir a en Barry que «menjava per

consolar-se». La Trisha era bona amb frases com aquella. Fet i fet, ella també havia tingut una vida difícil. Al final, en Barry va plorar una mica i, quan van sortir els crèdits, la Trisha va esbossar un somriure trist i li va fer una abraçada, tot i que li costava rodejar amb els braços en Barry perquè era gran com un petit bungalou.

En Dennis es preguntava si el seu pare també menjava per consolar-se, quan prenia una altra salsitxa o una altra llesca de pa fregit més a l'hora d'esmorzar —per dir-ho amb paraules de la Trisha— «per omplir la buidor que tenia». Però no es va atrevir a comentar-ho al pare. Ben mirat, al pare no li feia gens de gràcia que en Dennis mirés el programa. Segons deia, era un programa per a nenes.

En Dennis somiava que un dia tindria el seu propi programa de *Trisha*, amb el títol d'«Els pets del meu pare fan molta pudor» o «El meu pare té un problema amb la xocolata». (El pare cada dia es cruspia tot un paquet de les galetes més calòriques del mercat quan tornava de la feina.)

Així que, quan en Dennis, el pare i en John jugaven a futbol, el pare sempre feia de porter perquè estava massa gras. Li agradava perquè allò volia dir que no havia de córrer gaire. Els pals de la porteria eren una galleda capgirada i una gerra buida de cervesa, les restes d'una barbacoa que havien fet feia temps, quan la mare encara corria per casa.

Ara ja no feien barbacoes. En aquells dies menjaven salsitxes fregides de la xurreria de la cantonada, o bols de cereals, fins i tot quan no era l'hora d'esmorzar.

A en Dennis el que més li agradava de jugar a futbol amb la família era que era el millor. Tot i que el seu germà tenia dos anys més, en Dennis feia el que volia al jardí: li treia la pilota, el driblava i marcava amb una gran habilitat. I tampoc no era precisament senzill batre el pare, no pas perquè fos un bon porter, sinó perquè senzillament era tan gros...

El diumenge al matí, en Dennis solia jugar a futbol amb el club local. Somiava convertir-se en futbolista professional, però, després que la mare i el pare se separessin, va deixar d'anar-hi. Sempre s'havia refiat de la mare perquè el dugués als partits, perquè el pare no l'hi podia dur ja que sempre estava recorrent el país amb el camió per poder arribar a final de mes.

Així, doncs, el somni d'en Dennis s'havia esvaït.

Però sí que jugava a futbol a l'escola, i era el millor... llançador de l'equip?

Ho sento, lector, ho he de consultar.

Ah, el millor davanter.

Sí, en Dennis era el millor davanter de l'equip, perquè marcava més d'un milió de gols l'any.

M'hauràs de tornar a perdonar, lector. No hi entenc gaire, de futbol, potser un milió és massa. Un miler? Un centenar? Dos?

Sigui com sigui, marcava una pila de gols.

De resultes d'això, en Dennis era increïblement popular entre els seus companys d'equip, tret del capità, en Gareth, que esbroncava en Dennis per cada petit error que cometia al camp. En Dennis

sospitava que en Gareth n'estava gelós perquè ell era més bon futbolista. En Gareth era un d'aquells nois que són extraordinàriament grans per la seva edat. De fet, ningú no se sorprendria si es descobrís que tenia cinc anys més que la resta de la classe i que havia hagut de repetir cinc cursos perquè era una mica curt de gambals.

Un dia que tenia partit en Dennis no havia anat

a escola perquè tenia un refredat molt fort. Tot just acabava de veure *Trisha* aquell dia, un episodi apassionant sobre una dona que havia descobert que tenia una aventura amb el seu propi marit. Després, ja pensava prendre una sopa de tomàquet Heinz i veure el seu segon programa preferit, *Dones alliberades*, en el qual un grup de senyores d'aspecte empipat debatia qüestions importants del dia, com ara dietes i mitges.

Però quan la sintonia d'inici del programa ja sonava, va sentir que picaven a la porta. En Dennis es va posar dret de mal humor. Era en Darvesh, el millor amic d'en Dennis a l'escola.

—Dennis, necessitem desesperadament que juguis avui —li va suplicar en Darvesh.

—Ho sento, Darvesh. Simplement, no em trobo bé. No puc parar d'esternudar i tossir. Atxim! Ho veus? —va contestar en Dennis.

—Però... si avui juguem els quarts de final!

Sempre ens han eliminat als quarts de final. Sisplau...

En Dennis va tornar a esternudar.

—Aaaaaaaaaaaaaaaaaaatttttttttxxx
xxxxxxxxxxxxxxxxiiiiiiiiiiiiiiimmm
mmmmmmmmmm!

Va fer un esternut tan fort que va pensar que es trencaria..

—Sisplaaaaau —va demanar en Darvesh esperançat mentre discretament treia un moc de la corbata d'en Dennis.

—D'acord, ho intentaré —va contestar en Dennis mig tossint.

—Sí! —va exclamar en Darvesh, com si ja haguessin guanyat el partit.

En Dennis va fer un parell de cullerades del plat de sopa, va agafar la roba d'esport i va sortir corrents de casa.

A fora, la mare d'en Darvesh seia al petit Ford

Fiesta vermell que tenia, amb el motor ja en marxa. Treballava de caixera del Sainsbury's, però vivia per veure com el seu fill jugava a futbol. Era la mare més orgullosa del món, cosa que sempre avergonyia una mica el seu fill.

—Gràcies a Déu que has vingut, Dennis! —va exclamar quan en Dennis es va asseure al seient del darrere.

—Avui l'equip et necessita, és un partit molt important. Sens dubte, és el partit més important de la temporada!

—Mama, limita't a conduir! —va cridar en Darvesh.

—D'acord! D'acord! Marxem! No parlis així a la teva mare, Darvesh! —va cridar ella, fent veure que estava més empipada del que realment ho estava. Va trepitjar l'accelerador i el cotxe va arrencar tremolós cap als camps d'esport de l'escola.

—Oh, has decidit venir, oi? —va rondinar en Gareth quan van arribar. No només era més gran que tots els altres, sinó que tenia la veu més gutural i era inquietantment pelut per la seva edat.

Quan es dutxava, semblava un goril·la.

—Ho sento, Gareth, simplement no em trobava bé. Tinc un refredat molt...

Abans que en Dennis pogués dir «fort», va tornar a esternudar fins i tot més fort que abans.

—Aaaaaaaaaaaaaaaaaaaaaaaaaaaaaaaaaaaaaaaaaa
aaaaaaaaaaaaaaaaaaaaaaaaaaaaaaaaaaatttttt
ttttttttttttttxxxxxxxxxxxxxxxxxxxxxxxx
....
xxxxxxxxxiiiiiiiiiiiiiiiiiiiiiiiiiiiiiiiiiiiii
mmmmmmmmmmmmmmm
mmmmmmmmmmmm!
—Ho sento, Gareth —va dir en Dennis, mentre

treia un moc petit de l'orella d'en Gareth amb un mocador de paper.

—Vinga, anem a jugar! —va dir en Gareth.

Dèbil a causa del refredat, en Dennis va sortir al camp de futbol amb l'equip, sense parar de tossir i tirar capellans.

—Bona sort, nois! Sobretot, al meu fill, Darvesh, i, lògicament, al seu amic Dennis! Guanyeu el partit per l'escola! —va cridar la mare d'en Darvesh des de la banda.

—La meva mare m'avergonyeix tant! —va remugar en Darvesh.

—A mi em sembla que és guai que vingui —va replicar en Dennis—. El meu pare mai no m'ha vist jugar un partit.

—A veure si marques un gol ben bonic, Darvesh, fill meu!

—Mmm, potser sí que avergonyeix una mica —va reconèixer en Dennis.

Aquella tarda jugaven contra l'Escola St. Kenneth de nois, una d'aquelles escoles en les quals els alumnes se senten una mica superiors només perquè els seus pares han de pagar perquè els fills hi puguin anar. Tot i això, era un bon equip i abans dels deu minuts ja havien marcat. L'equip d'en Dennis es va veure de seguida contra les cordes, i en Darvesh va pispar la pilota a un noi que semblava el doble de gran, abans de passar-la a en Dennis.

—Una entrada fantàstica, Darvesh, fill meu! —va cridar la mare d'en Darvesh.

L'emoció de tenir la pilota va fer que en Dennis oblidés per uns segons el refredat: es va esmunyir entre la defensa i es va acostar al porter, un noi amb els cabells molt llargs i ben pentinats que duia un equipament nou de trinca, que segurament es deia Òscar, Tobies o alguna cosa per l'estil. Tot d'una, es trobaven cara a cara, i en Dennis va esternudar violentament.

—Aaaaaaaaaaaaaaaaaaattttttttttxxx xxxxxxxxxxxxxxxxiiiiiiiiiiiiiimmm mmmmmmmmmm!!!

Els mocs van anar a petar a la cara del porter i el van cegar uns segons, i l'únic que en Dennis va haver de fer va ser empènyer suaument la pilota perquè creués la línia.

—Falta! —va cridar el porter, però l'àrbitre va concedir el gol. Era falta, però, tècnicament, no era falta.

—Ho sento —es va disculpar en Dennis. Realment, ho havia fet sense voler.

—No t'amoïnis, tinc un mocador de paper! —va cridar la mare d'en Darvesh—. Sempre en duc un paquet al damunt.

Va saltar al camp, apujant-se el sari per no enfangar-se, i va córrer cap a on era el porter.

—Aquí el tens, nen mimat —li va dir mentre li oferia el mocador.

En Darvesh va fer uns ulls com unes taronges quan va veure que la seva mare envaïa el camp. El porter, mig plorant, es va treure els mocs que en Dennis li havia tirat als cabells.

—Personalment, penso que St. Kenneth no té cap possibilitat —va afegir.

—Mama! —va cridar en Darvesh.

—Ho sento! Ho sento! Continueu jugant!

Després de quatre gols, un d'en Dennis, un d'en Gareth, un d'en Darvesh i una desviació «accidental» de la mare d'en Darvesh, el partit es va acabar.

—Ja sou a les semifinals, nois! Em moro de ganes que arribin! —va exclamar la mare d'en Darvesh mentre duia els nois a casa, sense parar de fer sonar el clàxon per celebrar-ho. Per a ella, era com si Anglaterra hagués guanyat el Mundial.

—Ostres, mama, no vinguis, sisplau! T'ho suplico. No si ho has de tornar a fer!

—Com goses demanar-m'ho, Darvesh? Saps

perfectament que no em perdria el pròxim partit per res del món. Oh, em fas sentir tan orgullosa!

En Darvesh i en Dennis es van mirar i van somriure. Durant una estona, la seva victòria al camp els va fer sentir com si fossin els amos de l'univers.

Fins i tot el pare va esbossar un somriure quan en Dennis li va explicar que el seu equip s'havia classificat per a les semifinals.

Però el pare no estaria content gaire temps...

3

Sota el matalàs

Sota el matalàs.

—Què coi és, això? —va preguntar el pare. Tenia els ulls sortits i estava molt empipat.

—És una revista —va contestar en Dennis.

—Això ja ho veig!

En Dennis va pensar que per què ho preguntava el seu pare, si ja sabia què era, però va callar.

—És la revista *Vogue*.

—Ja ho veig que és la revista *Vogue*.

En Dennis es va quedar callat. Havia comprat la revista al quiosc uns quants dies abans. A en Dennis li agradava la fotografia de la portada. Hi sortia una noia guapa amb un vestit groc encara més bonic que semblava de roses cosides. De fet, li recordava el vestit que la mare duia a la fotografia que havia conservat. No havia pogut evitar comprar-la, tot i que la revista costava tres lliures i vuitanta penics, i només rebia una paga de cinc lliures a la setmana.

NOMÉS ES PERMET L'ENTRADA A 17 NOIS DE L'ESCOLA AL MATEIX TEMPS, deia el cartell de l'aparador del quiosc. El quiosc era propietat d'un home molt alegre anomenat Raj, que reia fins i tot quan no passava res que fes gràcia. Reia en dir el teu nom quan entraves per la porta i allò va ser precisament el que va fer quan en Dennis va entrar al quiosc.

—Dennis! Ha, ha!

En veure riure en Raj, era impossible no riure amb ell. En Dennis visitava el quiosc d'en Raj gairebé cada dia quan anava a l'escola o en tornava, de vegades només per xerrar amb ell, i després d'agafar l'exemplar de *Vogue* es va sentir una mica avergonyit. Sabia que aquella revista la solien comprar les dones, de manera que va decidir agafar també un exemplar de *Shoot* de camí cap al mostrador, confiant a amagar la revista *Vogue* a sota. Però, després de passar-la per la caixa, en Raj es va aturar.

Es va mirar la revista *Vogue*; tot seguit es va mirar en Dennis.

—Estàs segur que la vols, Dennis? —va preguntar en Raj—. *Vogue* és una revista que solen llegir les dones i el teu professor de teatre, el senyor Howerd.

—Mmmm —va dubtar en Dennis—. És un regal per a una amiga, Raj. És el seu aniversari.

—Ah, ja ho entenc! Potser voldries una mica de paper de regal...

—Mmm, d'acord —va contestar en Dennis amb un somriure. En Raj era un quiosquer fantàstic que tenia un talent especial perquè acabessis comprant coses que, de fet, no volies.

—Tot el paper d'embolicar és allà baix, al costat de les targetes de felicitació.

En Dennis s'hi va atansar a contracor.

—Oh! —va exclamar en Raj, emocionat—. Potser necessitaràs una targeta per acompanyar la revista! Deixa'm que t'ajudi.

En Raj va saltar de darrere del taulell i, tot orgullós, va començar a mostrar a en Dennis la gamma de targetes que tenia.

—Aquestes tenen molt èxit entre les senyores, les de flors. A les senyores, les flors els encanten. —En va assenyalar una altra—. Gatets! Mira quins gatets tan macos. I gossets!

Ara en Raj parlava molt excitat.

—Mira quins gossets tan bonics! Són tan preciosos, Dennis, que em fan venir ganes de plorar.

—Er... —va fer en Dennis, mentre es mirava la

targeta dels gossets, intentant entendre per què algú podia tenir ganes de plorar en veure-la.

—A aquesta senyoreta amiga teva li agraden més els gatets o els gossets? —li va preguntar en Raj.

—No n'estic segur —va contestar en Dennis, incapaç de pensar què podia agradar a «aquella senyoreta amiga seva», si és que existia.

—Em sembla que els gossets, Raj.

—Doncs, que siguin gossets! Aquests gossets són tan bonics que els vull omplir de petons!

En Dennis va intentar assentir, però no va aconseguir moure el cap.

—Et va bé aquest paper d'embolicar? —va preguntar en Raj, mentre treia un rotlle sospitosament semblant al paper d'embolicar de Nadal que no havia aconseguit vendre.

—Té dibuixos del Pare Noel, Raj.

—Sí, Dennis, i et desitja un molt bon aniversari! —va contestar en Raj decididament.

—Em sembla que no l'agafaré, gràcies.

—Si en compres dos rotlles, et dono el tercer gratis —va oferir en Raj.

—No, gràcies.

—Tres rotlles pel preu de dos és una molt bona oferta!

—No, gràcies —va tornar a dir en Dennis.

—Set rotlles pel preu de cinc?

En Dennis sempre suspenia matemàtiques, de manera que no estava segur de si aquella oferta era millor o no. Però no volia set rotlles de paper d'embolicar del Pare Noel, sobretot perquè ja era març, així que va tornar a dir:

—No, gràcies.

—Onze rotlles pel preu de vuit?

—No, gràcies.

—Ets ben boig, Dennis! Et regalo tres rotlles!

—Però jo no necessito onze rotlles de paper d'embolicar! —va protestar en Dennis.

—D'acord, d'acord —va acceptar en Raj—. Deixa'm passar-ho per la caixa.

En Dennis va seguir en Raj fins a la caixa i va donar un cop d'ull fugisser als caramels que hi havia al mostrador.

—La revista *Vogue*, la revista *Shoots*, la targeta i ara mires les meves barres Yorkie, oi? —va dir en Raj, rient.

—Bé, jo només...

—Agafa'n una.

—No, gràcies.

—Agafa'n una —va insistir en Raj.

—De veritat, no cal.

—Sisplau, Dennis, vull que agafis una barra Yorkie.

—Per ser franc, no m'agraden les barres Yorkie...

—Però si les barres Yorkie agraden a tothom! Sisplau, agafa'n una.

En Dennis va somriure i en va agafar una.

—Una barra Yorkie, seixanta penics —va informar en Raj.

En Dennis es va quedar garratibat.

—Això fa un total de cinc lliures, sisplau.

En Dennis va furgar dins les butxaques i en va treure unes quantes monedes.

—Com que ets el meu client preferit —va explicar en Raj—, et faré un descompte.

—Oh, gràcies —va contestar en Dennis.

—Quatre lliures i noranta-cinc penics, sisplau.

En Dennis ja era a mig carrer quan va sentir que algú cridava.

—Cel·lofana!

Es va girar. En Raj duia una gran capsa de cel·lofana.

—Necessitaràs cel·lofana per embolicar el regal!

—No, gràcies —va contestar educadament en Dennis—. Ja en tinc a casa.

—Quinze rotlles pel preu de tretze! —va cridar en Raj.

En Dennis va somriure i va continuar caminant. Tot d'una, estava excitat. Es moria de ganes d'arribar a casa, obrir la revista i contemplar els centenars de pàgines brillants i acolorides. Caminava cada cop més de pressa, llavors va començar a trotar i, quan ja no podia controlar l'excitació, es va posar a córrer.

Quan va arribar a casa, en Dennis va pujar les escales saltant. Va tancar la porta de l'habitació, es va tombar al llit i va girar la primera pàgina.

Com una capseta de tresors d'una pel·lícula antiga, la revista semblava que brillés amb una llum daurada sobre la seva cara. Les primeres quatre-centes pàgines eren plenes d'anuncis, però d'alguna manera eren la millor part: pàgines i pàgines de fotografies glorioses de dones precioses amb vestits magnífics i maquillatge i joies i sabates i bosses de mà i ulleres de sol. Noms com ara Yves Saint-Laurent, Christian Dior, Tom Ford, Alexander McQueen, Louis Vuitton, Marc Jacobs i Stella McCartney passaven sota les imatges. En Dennis no coneixia cap d'aquells noms, però li encantava com quedaven a la pàgina.

Els anuncis precedien algunes pàgines escrites —semblaven avorrides, de manera que no les va llegir— seguides de pàgines i pàgines de fotografies de moda. No eren gaire diferents dels anuncis, perquè mostraven més dones boniques en fotografies que eren malenconioses i magnífiques. La revista fins i tot semblava exòtica, perquè tenia pàgines especials en les quals obries una solapa per poder olorar el perfum més nou. En Dennis estudiava minuciosament cada pàgina, encisat pels vestits —el color, la llargada, el tall—. Es podria perdre entre aquelles pàgines per a tota l'eternitat.

El glamur.

La bellesa.

La perfecció.

De sobte, va sentir una clau a la porta.

—Dennis? Ei, germanet? On ets?

Era en John.

En Dennis va amagar ràpidament la revista sota el matalàs. D'alguna manera, sabia que no volia que el seu germà la veiés.

Va obrir la porta del dormitori i va contestar

tan innocentment com va poder des del capda-munt de les escales.

—Sóc aquí dalt.

—Què fas? —va preguntar en John mentre pu-java les escales amb un pastís de Jaffa a la boca.

—Res, acabo d'arribar a casa.

—Vols fer uns quants xuts al jardí?

—Sí, fantàstic.

Però, durant tota l'estona que van jugar, en Dennis no va poder deixar de pensar en la revista. Era com si brillés com el sol sota el matalàs. Aque-lla nit, quan el seu germà era al lavabo, va treure silenciosament l'exemplar de *Vogue* de sota el ma-talàs i en va girar les pàgines sense fer soroll, estu-diant-ne cada vora, cada puntada, cada teixit.

Cada cop que podia, en Dennis tornava al seu món gloriós. Era el seu Nàrnia, només que no hi havia el lleó xerraire que se suposa que és Jesús.

Però la fugida d'en Dennis a aquell món màgic

del glamur es va acabar el dia que el seu pare va descobrir la revista.

—Ja ho veig, que és *Vogue*. El que vull saber és per què un fill meu vol mirar una revista de moda.

Tot i que semblava una pregunta, la veu del pare

tenia tanta força i ràbia que en Dennis no estava segur de si realment volia una resposta. Tampoc no és que en Dennis en pogués pensar cap.

—Senzillament, m'agrada. Només hi surten fotos i coses com ara vestits i això.

—Això ja ho veig —va contestar el pare mirant la revista.

I, aleshores, va callar i va fer una ganyota. Va observar la portada durant uns segons: la noia amb el vestit de flors.

—Aquest vestit és igual que el que ta ma...

—Sí, papa?

—Res, Dennis. Res.

Per uns segons, va semblar que el pare es posaria a plorar.

—No passa res, papa —va dir en Dennis amb tendresa. Va moure lentament la mà i la va posar sobre la del pare. Recordava que havia fet el mateix amb la mare una vegada que el pare l'havia fet plorar. També recordava que s'havia sentit molt estrany, un nen consolant un adult.

El pare va deixar que en Dennis li agafés la mà durant uns segons, abans d'enretirar-la, avergonyit. Va tornar a alçar la veu:

—No, fill, no està bé. Vestits. És molt estrany.

—Home, papa, abans de res, m'agradaria saber què feies mirant sota el meu matalàs...

Per ser francs, en Dennis sabia exactament per què havia mirat sota el matalàs, el seu pare. El pare tenia un exemplar d'una revista bruta com aquelles que hi havia a la lleixa de dalt del quiosc d'en Raj. De vegades, en John entrava d'amagat a l'habitació del pare, l'agafava i la fullejava. En Dennis també la mirava, de vegades, però no la trobava gens excitant. Quedava decebut quan les senyores es treien la roba; s'estimava més veure què duien posat.

Fos com fos, quan en John «agafava prestada» la revista del pare, no era com si l'hagués agafat de la biblioteca. No hi havia una targeta amb funda que hagués de segellar una bibliotecària amb ulleres, i no havies de pagar cap multa si la tornaves massa tard.

De manera que en John de vegades se la quedava.

En Dennis va suposar que la revista del pare havia tornat a desaparèixer i que l'estava buscant quan havia descobert el número de *Vogue*.

—Bé, estava mirant sota el teu matalàs perquè...

El pare semblava incòmode, i llavors es va empipar.

—No té cap importància el motiu pel qual mirava sota el teu matalàs. Sóc el teu pare. Puc mirar sota el teu matalàs sempre que ho vulgui!

Va acabar el seu discurs amb el to triomfant que els adults de vegades adopten quan estan dient bajanades i ho saben.

El pare d'en Dennis va brandar la revista.

—Això se'n va de dret a la paperera, fill!

—Però, papa... —va protestar en Dennis.

—Ho sento. Simplement, no està bé que un noi de la teva edat llegeixi la revista *Vogue*.

Va dir «la revista *Vogue*» com si parlés una llengua estrangera que no entengués.

—Simplement, no està bé —remugava una vegada i una altra mentre sortia de l'habitació.

En Dennis es va asseure a la vora del llit. Va escoltar com el pare baixava les escales i obria la tapa de la paperera. Finalment, va sentir el soroll metàl·lic que la revista va fer en caure al fons del cubell.

4

Voldria desaparèixer

—Bon dia, Dennis, o t'hauria de dir Denise? —el va saludar en John amb una rialla cruel.

—Et vaig dir que no en parlessis! —va cridar el pare, empipat, mentre untava la torrada blanca amb dos centímetres de mantega. Quan la mare era a casa, l'obligava a menjar margarina.

I pa moreno.

En Dennis va acotar el cap sobre la taula sense dir res; ni tan sols mirava el seu germà. Es va servir una mica de cereals d'arròs.

—Has vist cap vestit bonic últimament? —se'n va burlar en John, i va tornar a riure.

—T'he dit que ho deixis córrer! —va cridar el pare, encara més fort que abans.

—Aquesta mena de revistes les llegeixen les noies! I els mariques!

—Calla! —va ordenar el pare.

Tot d'una, en Dennis ja no tenia gana. Va agafar la bossa i va sortir per la porta. La va tancar d'un cop ben fort. Encara va poder sentir com el pare deia:

—Què t'he dit, John? S'ha acabat, d'acord? És a la paperera.

En Dennis va caminar sense esma cap a l'escola. No volia ser a casa ni tampoc a l'escola. Tenia por que el seu germà ho expliqués a algú i que se'n riguessin. Només volia desaparèixer. Quan era molt més petit, solia creure que, si tancava els ulls, ningú no el podria veure.

Ara mateix desitjava que fos veritat.

La primera classe del dia era d'història. A en Dennis la història li agradava; estaven estudiant la dinastia Tudor i li encantava mirar les fotografies dels reis i les reines en tota la seva esplendor. Sobretot d'Elisabet I, que realment sabia com «impressionar amb el vestir», una expressió que havia llegit a *Vogue* just al costat d'una model que lluïa un tern amb un tall preciós. Però en Dennis sempre trobava química —la classe següent— extraordinàriament ensopida. Es passava gran part de la classe mirant la taula periòdica, intentant discernir què era.

Quan va arribar la pausa, en Dennis, com sempre feia, va jugar a futbol al pati amb els amics. S'ho estava passant bé fins que va veure en John amb un grup de col·legues, els nois dolents amb els cabells curts als quals els assessors pedagògics segurament aconsellarien que es fessin porters de clubs nocturns o delinqüents. Caminaven a poc a poc pel mig del camp improvisat.

En Dennis va contenir la respiració.

En John va saludar el seu germà amb un cop de cap, però no va dir res.

I en Dennis va sospirar, alleujat.

Estava força segur que el seu germà no podia haver explicat a ningú que havia comprat una revista de moda femenina. Fet i fet, en Darvesh estava jugant a futbol amb ell com sempre feia. Jugaven amb una pilota de tennis vella que l'Odd-Bod, el gos d'en Darvesh, havia masegat. Una norma de l'escola establia que no es podien utilitzar pilotes de futbol al pati per no trencar cap finestra. En Darvesh va fer una passada arriscada a en Dennis perquè pogués marcar.

Llavors, en Dennis va donar un cop de cap i la pilota va sortir disparada enlaire, per damunt del que se suposava que era la porteria... i va entrar per la finestra del despatx del director.

En John i els seus amics es van quedar mirant bocabadats. Tot el pati es va quedar mut.

S'hauria pogut sentir el vol d'una mosca, en l'improbable cas que una mosca passés volant per allà en aquell precís moment.

—Ups —va fer en Darvesh.

—Sí, ups —va contestar en Dennis.

De fet, «ups» era una manera suau de dir-ho. El director, el senyor Hawtrey, odiava els nens. De fet, odiava tothom, segurament també s'odiava ell mateix. Duia un impecable vestit gris de tres peces, corbata i ulleres de muntura fosca. Portava els cabells curosament pentinats amb una ratlla i tenia un bigoti prim i negre. Era com si volgués tenir un aspecte sinistre. I tenia la cara que una persona que es passa el dia fent ganyotes acaba tenint.

Una cara sempre malhumorada.

—Potser no és al despatx —va aventurar esperançat en Darvesh.

—Potser no —va dir en Dennis, empassant-se la saliva.

En aquell moment, la cara del director va sortir per la finestra.

—ESCOLA! —va bramar.

El pati es va quedar mut.

—QUI HA XUTAT AQUESTA PILOTA?

Va sostenir la pilota entre els dits amb la mateixa expressió de fàstic que fan els amos de gossos quan es veuen obligats a recollir-ne les caques.

—He fet una pregunta: qui ha xutat la pilota?

En Dennis es va empassar la saliva.

—No l'he xutada, senyor —va respondre tímidament—. Hi he donat un cop de cap.

—Avui estàs castigat, noi. A les quatre.

—Gràcies, senyor —va contestar en Dennis, sense saber què més podia dir.

—Per culpa del teu comportament, avui queda prohibit jugar a pilota al pati —va afegir el senyor Hawtrey abans de tornar a desaparèixer dins del despatx.

Un sospir de decepció i enuig va ressonar per tot el pati. En Dennis odiava que els professors fessin allò, que et castiguessin per fer que tots els companys t'odiessin. Era una jugada molt bruta.

—No t'amoïnis, Dennis —el va animar en Darvesh—. Tothom sap que el senyor Hawtrey és un autèntic...

—Sí, ja ho sé.

Es van asseure sobre les bosses al costat de la paret de l'edifici de ciències i van obrir les carmanyoles per devorar els entrepans que tenien per dinar.

En Dennis no havia explicat a en Darvesh que havia comprat la revista *Vogue*, però, de manera indirecta, volia saber què en pensava el seu amic.

En Darvesh era de religió sikh. Com que feia el mateix curs que en Dennis i només tenia dotze anys, encara no duia turbant. Duia un *patka*, una mena de barret amb borla que impedia que els cabells li caiguessin a la cara. El duen perquè se suposa que els homes sikh no es poden tallar els cabells. Hi havia molts nois diferents a l'escola, però en Darvesh era l'únic que duia un *patka*.

—Et sents diferent, Darvesh? —li va preguntar en Dennis.

—En quin sentit ho dius?

—Bé, només ho preguntava perquè, ja saps, ets l'únic noi de l'escola que ha de dur una d'aquestes gorres al cap.

—Ah, això, sí. Bé, quan sóc amb la família, no m'hi sento, és clar. I quan la mare em va dur a l'Índia per Nadal, no m'hi vaig sentir gens. Tots els nois sikh en duien.

—Però, i a l'escola?

—Al principi sí que m'hi sentia. Em sentia una mica avergonyit perquè sabia que tenia un aspecte diferent del dels altres.

—Sí.

—Però, després suposo que, quan la gent em va començar a conèixer, es va adonar que, de fet, no era tan diferent. Només duc aquesta bajanada al cap! —va explicar rient.

En Dennis també va riure.

—Sí. Senzillament, ets el meu amic, Darvesh. No em molesta gens això que duus al cap. De fet, m'agradaria dur-ne un.

—No, no t'agradaria. Pica de mala manera! Però, saps què et dic? Si tots fóssim iguals, seria molt avorrit, no trobes?

—I tant que sí —va contestar en Dennis amb un somriure.

5

Gargots

A en Dennis no l'havien castigat mai abans, per la qual cosa, en certa manera, estava emocionat. Quan va aparèixer a l'aula 4C per presentar-se a la professora de francès, la senyoreta Windsor, va descobrir que només hi havia una altra persona a la qual havien condemnat a una hora de presó: la Lisa.

La Lisa James.

Precisament, la noia més guapa de l'escola.

A més, era superenrotllada i, d'alguna manera, sempre aconseguia que l'uniforme escolar que duia semblés el vestit d'un videoclip. Tot i que mai no havien parlat, en Dennis estava boig per la Lisa.

Tampoc no és que pogués passar res entre ells perquè ella tenia dos anys més i li treia mig pam, cosa que la feia inabastable.

—Hola —el va saludar la Lisa. Tenia una veu preciosa, una mica ronca però al mateix temps dolça.

—Oh, hola, mmm... —En Dennis va fer veure que no recordava com es deia.

—Lisa. Com et dius?

Per un instant, en Dennis va pensar en la possibilitat d'inventar-se un nom per utilitzar-ne un de més guai, com ara Brad o Dirk, per mirar d'impressionar-la, però es va adonar que era una bogeria.

—Dennis.

—Hola, Dennis —li va dir la Lisa—. Per què t'han castigat?

—D'un cop de cap, he enviat una pilota al despatx d'en Hawtrey.

—Genial —va fer ella, rient.

En Dennis també va riure una mica. Era evident

que suposava que ell havia llançat expressament la pilota dins del despatx del director i no tenia cap intenció de corregir-la.

—I tu? —va preguntar en Dennis.

—No duia l'uniforme escolar correcte. Aquest cop en Hawtrey ha dit que la faldilla era massa curta.

En Dennis va abaixar la mirada per veure la faldilla de la Lisa. Realment, era força curta.

—De fet, no m'importa —va continuar explicant—. Prefereixo dur el que vull i que em castiguin una vegada i una altra.

—Ho sento —els va interrompre la senyoreta Windsor—. No es pot parlar durant el càstig.

La senyoreta Windsor era una de les professores més amables, a la qual no agradava gens renyar els alumnes. Sovint deia «perdona» o «ho sento» abans de fer-ho. Segurament no arribava als cinquanta anys. La senyoreta Windsor no duia aliança, ni semblava que tingués fills. Li agradava mostrar

una mica de sofisticació francesa: es cobria les es-
patlles amb bufandes de seda i un gest de despreo-
cupació fingida, i es cruspia croissants del Tesco
Metro de quatre en quatre a l'hora de l'esbarjo.

—Ho sento, senyoreta Windsor —va contestar
la Lisa.

En Dennis i la Lisa van intercanviar un somriu-
re. En Dennis va tornar a escriure la frase del
càstig.

No he de llançar pilotes al despatx del
director.
No he de llançar pilotes al despatx del
director.
No he de llançar pilotes al despatx del
director.

En Dennis va donar un cop d'ull al que feia la
Lisa. En comptes d'escriure, estava dibuixant amb

aire distret uns quants vestits. N'hi havia un de festa amb una esquena molt pronunciada que no desentonaria a la revista *Vogue*. Va girar la pàgina i va començar a esbossar un top sense tirants i una faldilla de tub. Al costat, va dibuixar un vestit blanc de cua llarga que queia perfectament pertot arreu. Era evident que la Lisa tenia talent per a la moda.

—Perdona —va dir la senyoreta Windsor—. Però realment t'hauries de concentrar en la teva pròpia feina, Dennis.

—Ho sento, senyoreta —va dir en Dennis. Va tornar a escriure la frase.

No he de llançar pilotes al despatx del director.

No he de llançar pilotes al despatx del director.

No he de llançar pilotes al despatx del director.

En Dennis va sospirar i va escriure les últimes línies. S'estava distraient.

Al cap de quaranta-cinc minuts, la senyoreta Windsor va donar, nerviosa, un cop d'ull al rellotge que duia i es va adreçar a la classe formada per dos alumnes.

—Ho sento —va dir—. Us faria res que acabéssim aquest càstig quinze minuts abans d'hora? Només és que m'agradaria arribar a casa a temps per veure *Veïns*. El cafè del Lassiter's torna a obrir avui després del dramàtic incendi.

—Cap problema, senyoreta —va contestar la Lisa amb un somriure—. No s'amoïni, no ho direm a ningú!

—Gràcies —va contestar la senyoreta Windsor, confosa durant uns segons pel fet que, d'alguna manera, els papers s'havien intercanviat, i ara era la Lisa i en Dennis els que la deixaven marxar.

—Em vols acompanyar a casa, Dennis? —li va preguntar la Lisa.

—Com? —va preguntar en Dennis enmig d'un atac de pànic.

—He dit que si em vols acompanyar a casa...

—Mmm, sí, d'acord —va contestar en Dennis, mirant de semblar tranquil.

En Dennis se sentia com una celebritat mentre baixava pel carrer amb la Lisa. Caminava a poc a poc per passar amb ella tant temps com pogués.

—No he pogut evitar veure com dibuixaves. Són uns dibuixos fantàstics —va comentar en Dennis.

—Ah, gràcies. De fet, no és res; simplement, feia gargots.

—I m'encanta el teu aspecte.

—Gràcies —va contestar la Lisa, mirant d'aguantar-se el riure.

—Em refereixo al vestit —va precisar en Dennis—. M'encanta com vesteixes.

—Gràcies —va contestar la Lisa, tornant a somriure. Quan somreia, era tan escandalosament bonica que en Dennis amb prou feines la mirava. En comptes d'això, es mirava les sabates que duia, que eren de punta rodona.

—Unes sabates precioses —va dir.

—Ostres, gràcies per haver-ho notat.

—Pel que sembla, les sabates de punta rodona estan de moda aquest any, mentre que les punxegudes, no.

—On ho has llegit?

—A *Vogue*, vull dir que...

—Llegeixes *Vogue*?

En Dennis va contenir l'alè. «Però, què he dit?» Emocionat de caminar al costat de la Lisa, se n'havia anat de la llengua.

—Mmm... no... bé, sí, un cop.

—Penso que està molt bé.

—Ah sí? —va preguntar en Dennis, sense acabar-s'ho de creure.

—Sí. No hi ha gaires nois als quals els interessi la moda.

—M'imagino que no... —va admetre en Dennis.

No estava segur de si li agradava la moda o de si només li agradava mirar les fotografies de vestits bonics, però va optar per no dir res.

—Tens un dissenyador preferit? —va preguntar la Lisa.

En Dennis no estava segur de tenir-ne cap, però sí que recordava que li havia agradat especialment un dels vestits de la revista, un vestit de festa de color crema que queia fins als peus dissenyat per un tal John Gally no-sé-què.

—John Gally no-sé-què.

—John Galliano? Sí, és fantàstic, una llegenda. També dissenya totes les peces per a Dior.

A en Dennis li va encantar que digués «peces». Aquella era la paraula que utilitzaven a *Vogue* per als articles de roba.

—Bé, doncs, això és casa meva. Gràcies, Dennis. Adéu —va dir la Lisa.

En Dennis es va quedar una mica moix en veure

que s'havia acabat el passeig amb ella. La Lisa es va encaminar cap a la porta de l'entrada, però, de sobte, es va aturar.

—Podries venir aquest cap de setmana, si vols... Tinc un munt de revistes de moda fantàstiques que et podria ensenyar. De fet, vull ser dissenyadora o estilista o alguna cosa per l'estil quan sigui gran.

—Home, tens molt d'estil... —va comentar en Dennis. Ho va dir amb tota sinceritat, però, d'alguna manera, va sonar fals.

—Gràcies —va contestar la Lisa.

Ja sabia que en tenia.

Tothom sabia que en tenia.

—Demà és dissabte. Et va bé a les onze?

—Mmm... em sembla que sí —va contestar en Dennis.

Com si alguna cosa que hagués succeït en el passat o que pogués succeir en el futur pogués impedir que l'endemà a les onze fos a casa de la Lisa.

—Fins aleshores —va dir ella, mentre li feia un somriure i desapareixia.

Així, senzillament, el món d'en Dennis va tornar a la normalitat, com quan els llums del cinema s'apaguen en acabar la pel·lícula.

6

Una eternitat i un instant

A un minut de les onze del matí en Dennis esperava davant mateix de casa la Lisa. Ella li havia dit a les onze, però ell no volia semblar massa interessat. Així, doncs, va mirar el rellotge per comptar els segons que faltaven per a les onze.

54.

55.

56.

57.

58.

59.

00.

Va trucar al timbre. El soroll apagat de la veu de la Lisa va recórrer les escales i n'hi va haver prou amb la imatge borrosa de la noia a través del vidre de la porta perquè el cor li anés a mil per hora.

—Ei —el va saludar ella amb un somriure.

—Ei —va contestar. Tampoc no era que ell hagués saludat mai ningú amb un «ei», però volia ser com la Lisa.

—Entra —li va oferir la Lisa i ell la va seguir dins de la casa. Era molt semblant a la d'en Dennis, però mentre que la seva era grisa, la de la Lisa era plena de llum i color. Les parets eren plenes de quadres i fotografies familiars disposades sense ordre ni concert. Una dolça aroma de pastís acabat de coure va inundar el vestíbul.

—Vols beure res?

—Potser un got de vi blanc? —va proposar en Dennis, actuant com un home que li tripliqués l'edat.

La Lisa va semblar desconcertada durant uns segons.

—No tinc vi. Què més t'agrada?

—Doncs, un Um Bongo.

La Lisa va aixecar les celles.

—Crec que ens queda una mica d'Um Bongo.

Va trobar un envàs de cartró i va servir un parell de gots. Després, van pujar a l'habitació de la noia.

A en Dennis li va encantar des del primer moment. Per ser franc, era tal com li agradaria que fos la seva habitació. Tenia fotografies de revistes de moda per totes les parets, imatges elegants de dones precioses en llocs glamurosos. Als prestatges hi havia llibres de moda o d'estrelles del cinema com ara Audrey Hepburn i Marilyn Monroe. En un racó hi havia una màquina de cosir i una pila enorme de revistes *Vogue* al costat del llit.

—Les col·lecciono —li va explicar la Lisa—. També tinc una revista italiana. Costa trobar-la, però és fantàstica. La millor *Vogue* és la italiana. Tot i que és molt gruixuda! T'agradaria veure'n una?

—M'encantaria —va contestar en Dennis. No sabia que hi havia diferents *Vogue* arreu del món.

Van seure al llit junts i van començar a girar les pàgines a poc a poc. La primera fotografia era en color, però mostrava vestits que només eren blancs o negres, o una combinació dels dos colors.

—Uau, aquest vestit és meravellós —va comentar en Dennis.

—Chanel. Segurament costa un ull de la cara, però és preciós.

—M'encanten els lluentons.

—I aquest tall al costat? —va preguntar la Lisa. Va resseguir la pàgina amb dits delerosos.

El que va semblar una eternitat i alhora un moment va passar, mentre estudiaven cada pàgina, comentant cada detall de tots els vestits que hi sortien. Quan van arribar al final de la revista, van tenir la sensació que eren amics des de sempre.

La Lisa va agafar una altra revista perquè volia ensenyar a en Dennis un dels seus reportatges preferits, o «històries», com ella els anomenava. Era d'una antiga edició britànica de *Vogue*, i mostrava moltes models amb perruques i vestits metàl·lics.

Semblava una escena d'una pel·lícula antiga de ciència-ficció. A en Dennis li encantava l'extravagància d'aquelles fantasies, tan diferent de la realitat grisa i freda de la seva vida.

—Estaries fantàstica amb aquest vestit daurat —va observar en Dennis, mentre assenyalava una noia amb un color de cabells semblant al de la Lisa.

—Qualsevol ho estaria. És un vestit fantàstic. Mai no em podria permetre comprar un vestit així, però m'agrada mirar aquestes fotografies i agafar idees per als meus dissenys. Els vols veure?

—I tant! —va contestar en Dennis sense poder amagar la seva il·lusió.

La Lisa va treure un quadern enorme de la lleixa. Era ple d'il·lustracions brillants que havia fet de faldilles, bruses, vestits i barrets. Al costat, la Lisa havia enganxat moltes coses a la pàgina: tires de teixit brillants, fotografies retallades de vestits de pel·lícules, fins i tot botons...

En Dennis va fer aturar la Lisa quan la noia girava una pàgina en què hi havia un dibuix especialment bonic que havia fet d'un vestit taronja amb lluentons.

—Aquest és preciós —va comentar.

—Gràcies, Dennis! Realment, n'estic contenta. L'estic fent ara.

—De debò? El puc veure?

—I tant.

Va buscar dins l'armari i en va treure un vestit a mig acabar.

—Vaig aconseguir aquest material molt barat. El vaig comprar al mercat local —va explicar—. Però em sembla que quedarà molt bé. És una mica dels anys setanta. Molt glamurós.

Va sostenir el vestit amb el penjador. Tot i que encara tenia les vores mal tallades i estava desfilat, estava cobert amb centenars de petits lluentons rodons i brillava de manera radiant amb la llum del matí.

—És fantàstic —va comentar en Dennis.

—Et quedaria molt bé! —va contestar la Lisa. Va riure i va sostenir el vestit al costat d'en Dennis. Ell també va riure i després se'l va mirar, permetent-se per un moment imaginar com li quedaria. Després, però, va pensar que allò era una bajanada.

—Realment, és preciós —va observar—. No és just, no trobes? La roba de noi és tan avorrida...

—Home, jo penso que totes aquestes normes són avorrides. Tot això de què pot dur i què no pot dur la gent. És clar que tothom hauria de dur el que volgués...

—Sí, m'imagino que sí —va contestar en Dennis. Mai ningú l'havia empès a pensar en aquella possibilitat. La Lisa tenia raó. Què hi havia de dolent a dur la roba que a un li agradava?

—Per què no te'l poses? —va preguntar amb un somriure murri.

Es van quedar callats uns segons.

—Potser és una bogeria... —va comentar la Lisa, fent-se enrere en veure la incomoditat d'en Dennis—. Però els vestits poden ser preciosos i disfressar-se és divertit. M'encanta posar-me vestits bonics. Estic segura que a alguns nois també els agradaria. No és cap pecat.

El cor d'en Dennis anava a mil per hora. Volia dir «sí», però no podia. Senzillament, no podia. Tot allò era una mica massa...

—He de marxar —va dir.

—De debò? —va preguntar la Lisa decebuda.

—Sí, ho sento, Lisa.

—Bé, però tornaràs a visitar-me, oi? Avui m'ho he passat molt bé. El pròxim número de *Vogue* surt la setmana que ve. Per què no tornes dissabte?

—No ho sé... —va contestar en Dennis, mentre sortia precipitadament de la casa—. Però, gràcies un altre cop, per l'Um Bongo.

7

Mirant com es fa de dia per sota de les cortines

—Per molts anys, papa! —van cridar en John i en Dennis tot excitats.

—No m'agraden els aniversaris —va contestar el pare.

A en Dennis li va caure l'ànima als peus. Per a ell, el diumenge sempre era un dia penós. Sabia que moltes famílies seien juntes per compartir un bon rostit per sopar, i això li feia pensar en la mare. Quan el pare intentava fer un rostit de diumenge per als seus fills només aconseguia que la pèrdua de la mare els resultés més dolorosa. Era com si al cervell tinguessin reservat un lloc per a algú que estimaven i que no hi era.

I, a més, el pare no era un bon cuiner.

Però aquell diumenge encara era pitjor: era l'aniversari del pare i estava decidit a no celebrar-lo.

En Dennis i en John havien esperat tota la tarda per felicitar-lo. Havia marxat molt d'hora per anar a treballar. Ara eren les set de la tarda i tot just acabava de tornar. Els nois havien baixat a la cuina per donar-li una sorpresa i l'havien trobat assegut amb la mateixa jaqueta vermella de quadres de sempre. Estava prenent una llauna de cervesa barata i una bossa de patates.

—Per què no sortiu a jugar, nois? Vull estar sol.

En sentir les paraules del pare, va semblar que la targeta i el pastís que en Dennis i en John tenien a les mans es fonien.

—Ho sento, nois —va dir en veure que els havia ferit—. És que crec que no hi ha gaires coses per celebrar, no trobeu?

—T'hem comprat una targeta, pare, i un pastís —va anunciar en John.

—Gràcies —va contestar i va obrir la targeta. Era del quiosc d'en Raj i s'hi veia el dibuix d'un os enorme somrient, absurdament vestit amb unes bermudes i unes ulleres de sol. En Dennis l'havia triat al quiosc d'en Raj perquè hi havia escrit: «Al millor pare del món».

—Gràcies, nois —va dir el pare mentre se la mirava—. Però no m'ho mereixo, no sóc el millor pare del món.

—Sí. Sí que ho ets, pare —va replicar en Dennis.

—Nosaltres pensem que ho ets —va afegir en John, tímidament.

El pare es va tornar a mirar la targeta. En Dennis i en John havien pensat que la targeta l'alegraria, però, pel que es veia, estava produint l'efecte contrari.

—Ho sento, nois. Simplement, els aniversaris se'm fan durs des que la mare va marxar.

—Ho sé, pare —va dir en Dennis. En John va assentir i va intentar somriure.

—Avui en Dennis ha marcat un gol a l'escola —va explicar en John, intentant canviar de tema cap a un de més alegre.

—Ah sí, fill?

—Sí, pare —va contestar en Dennis—. Avui jugàvem les semifinals i hem guanyat per dos a un. Jo he marcat un gol i en Darvesh ha fet l'altre. Ens hem classificat per a la final.

—Això està bé —va contestar el pare amb la mirada perduda. Va fer un altre glop de la llauna—. Ho sento. Necessito estar sol una estona.

—D'acord, pare —va dir en John, fent un gest amb el cap a en Dennis perquè marxessin. En Dennis va tocar l'espatlla del pare durant uns segons, abans que els nois es retiressin a l'habitació. Ho havien intentat. Però els aniversaris, el Nadal, les vacances o fins i tot les excursions a la platja, a poc a poc, totes aquelles coses havien anat desapareixent. Sempre les havia organitzat la mare, i ara semblaven pertànyer a una altra vida. La casa s'estava convertint en un lloc molt fred i gris.

—Necessito una abraçada —va dir en Dennis.

—No penso abraçar-te.

—Per què no?

—Perquè sóc el teu germà. No penso abraçar-te. És estrany. De tota manera, me n'he d'anar. He dit als col·legues que aniríem al mur de davant de la botiga de licors una estona.

En Dennis també necessitava sortir de casa.

—Doncs jo aniré a casa d'en Darvesh. Fins després.

Mentre travessava el parc, se sentia trist per haver deixat el pare sol a la cuina. Tant de bo el pogués fer feliç.

—Què passa? —va preguntar en Darvesh, mentre miraven vídeos de YouTube a la seva habitació.

—Res —va contestar en Dennis, gens convençut. No era bo mentint, encara que mentir tampoc no era res de què ningú s'hagués de sentir orgullós.

Jo mateix mai no he mentit.

Llevat d'ara mateix.

—Sembles molt absent.

En Dennis estava absent. No només pensava en el pare, tampoc no podia deixar de pensar en aquell vestit taronja de lluentons.

—Ho sento. Darvesh, seràs amic meu passi el que passi, oi?

—És clar.

—Darvesh! Dennis! Nois, voleu una mica de Lucozade ben fred? —va cridar la mare d'en Darvesh des de l'habitació del costat.

—No, gràcies, mama! —va contestar en Darvesh, abans de sospirar sorollosament. En Dennis es va limitar a somriure.

—És una beguda energètica! Us donarà forces per a la final! —va ser la resposta insistent.

—Molt bé, mama, potser més tard!

—Bons nois! Em fareu sentir més orgullosa si guanyeu. Però ja sabeu que ho estaré encara que no ho feu.

—Sí, sí... —va dir en Darvesh—. És tan pesada...

—Només ho fa perquè t'estima —va explicar en Dennis.

En Darvesh es va quedar callat uns segons, de manera que en Dennis va canviar de tema.

—Em puc posar el teu barret? —va preguntar.

—La meva *patka*?

—Sí, la teva *patka*.

—És clar, si realment ho vols. Em sembla que en tinc una de recanvi —va explicar en Darvesh mentre furgava al calaix abans de treure una altra gorra. La va donar a en Dennis, que se la va posar amb molt de compte.

—Què semblo? —va preguntar en Dennis.

—Un imbècil.

Tots dos van riure a cor què vols. Aleshores, en Darvesh es va quedar pensatiu durant uns segons.

—Vull dir que no et converteix en un sikh. Al teu cap només és una gorra. És com disfressar-se, no trobes?

En Dennis va tornar cap a casa una mica més animat. Fins i tot havia rigut mirant algun dels vídeos estúpids que havien trobat, sobretot un d'un gat que s'enfilava a la cara d'un nadó i li posava el cul al damunt.

Però, quan va entrar a casa, va veure que el pare encara seia a la taula de la cuina on l'havien deixat, amb una altra llauna de cervesa però les mateixes patates fredes i remullades.

—Hola, pare —el va saludar en Dennis, intentant sonar alegre en veure'l.

El pare va aixecar el cap durant uns segons i, després, va sospirar sorollosament.

En John ja havia anat a dormir. Quan en Dennis va pujar, en John no es va molestar a dir-li res. Ajaguts al llit, el silenci era eixordador. No hi havia res a dir. En Dennis no podia dormir de cap manera, i es va passar tota la nit mirant com es feia de dia per sota de les cortines.

Només una cosa impedia que s'ofegués: pensar en la Lisa, en el món que li havia obert i en aquell vestit taronja de lluentons, que brillava incansablement amb la llum del sol...

8

Estirat a la catifa amb la Lisa

La Lisa sostenia el vestit taronja de lluentons.

—L'he acabat! —va anunciar.

Era el dissabte següent i, un altre cop a la seva habitació, la Lisa i en Dennis havien observat amb atenció cada pàgina del nou número de *Vogue*, abans que ella el sorprengués. El vestit era perfecte.

—És la cosa més bonica que he vist mai —va assegurar en Dennis.

—Ostres, gràcies, Dennis! —va dir la Lisa rient una mica, lleugerament avergonyida per la magnitud del compliment—. De fet, vull que te'l quedis. És un regal.

—Per a mi? —va preguntar en Dennis.

—Sí, Dennis, t'agrada tant que te l'hauries de quedar.

—No podria...

—Sí que pots.

Li va donar el vestit.

—Ostres, gràcies, Lisa —va contestar en Dennis, agafant-l'hi de les mans. Pesava més del que havia imaginat, i els lluentons tenien un tacte diferent de cap altra cosa que mai abans hagués tocat. Era una obra d'art. Senzillament, era el millor regal que mai li havien fet. Però, on el podria guardar? No el podia penjar precisament al costat de l'anorac a l'armari que compartia amb el seu germà.

I... què en faria?

—Per què no te'l poses? —li va proposar la Lisa.

A en Dennis se li va fer un nus a l'estómac. Se sentia com es devia sentir un nou company del Doctor Who a punt d'entrar a la nau *Tardis* per primer cop. Realment, allò seria diferent.

—Serà divertit —li va assegurar la Lisa.

En Dennis es va mirar el vestit. Seria divertit emprovar-se'l.

—Bé, si n'estàs segura...

—N'estic.

En Dennis va respirar fondo.

—Però només un moment —va contestar.

—Guai!

En Dennis es va començar a despullar fins que, de sobte, es va sentir avergonyit.

—No t'amoïnis, que no miraré. —La Lisa el va tranquil·litzar tancant els ulls.

En Dennis es va quedar en calçotets i mitjons, i llavors es va posar el vestit i va fer passar les tires per sobre les espatlles. Se sentia diferent de quan duia roba de noi. El teixit era tan poc familiar al contacte amb la pell, tan sedós i fi... Va estirar el braç per tancar la cremallera que tenia a l'esquena.

—No sé si podré...

—Deixa'm —va proposar l'experta, obrint els ulls—. Gira't. —Li va apujar la cremallera—. Et queda increïble. Com te'l notes?

—Fantàstic. Me'l noto fantàstic.

De fet, era millor que fantàstic; era meravellós.

—Em puc mirar al mirall?

—No encara! Encara no hem trobat les sabates!

La Lisa va treure unes magnífiques sabates daurades de taló alt amb la sola vermella.

—Les vaig treure d'Oxfam. Són de Christian Louboutin, però la velleta simpàtica de la botiga me les va deixar per només dues lliures!

En Dennis es va preguntar si en Christian Louboutin les tornaria a necessitar algun dia.

Es va ajupir per posar-se les sabates.

—Serà millor que abans et treguis els mitjons —li va dir la Lisa, tot mirant els mitjons grisos i gastats que duia. El dit gros sobresortia d'un forat especialment gros.

Realment, li espatllaven la imatge.

—Oh, sí, i tant! —va contestar en Dennis, abans de treure-se'ls i ficar els peus en aquelles sabates estretes. Els talons eren força alts i, durant un segon, va tenir por d'entrebancar-se. La Lisa el va agafar de la mà perquè no caigués.

—Em puc mirar al mirall ara? —va preguntar.

—Encara no duus maquillatge.

—No, Lisa, no!

—Ho has de fer amb totes les de la llei, Dennis.

La Lisa va buscar dins de la bossa de mà.

—Això és tan divertit! Sempre he volgut tenir una germana petita. Ara fes això amb els llavis.

La Lisa va obrir la boca i en Dennis la va imitar. Va fer passar suaument el pintallavis pels llavis del noi. Se sentia estrany. Mai no hauria dit que un pintallavis tindria aquell gust: una barreja d'oli i cera.

—Ombra d'ulls?

—No, de debò, jo... —va protestar en Dennis.

—Només una mica!

En Dennis va tancar els ulls mentre la noia aplicava suaument una mica d'ombra d'ulls platejada amb un pinzell petit.

—Estàs genial, Dennis —va assegurar—. O potser t'hauria de dir Denise?

—Així és com em va dir el meu germà quan va trobar la revista.

—Bé, m'imagino que aquest és el teu nom femení. Et dius Dennis, però si fossis una noia, et dirien Denise.

—Ja em puc mirar al mirall? —va preguntar ell.

La Lisa li va posar bé el vestit amb mans exper-
tes abans de conduir-lo sense dir res davant del
mirall de la paret de l'habitació. En Dennis es va
mirar. Durant uns segons, el que hi va veure el
va desconcertar. Després, el desconcert es va tor-
nar sorpresa i es va posar a riure. Estava tan con-
tent que tenia ganes de ballar. De vegades, tens
sentiments tan intensos que no hi ha paraules per
descriure'ls. Va començar a moure's davant del
mirall. La Lisa s'hi va afegir, taral·lejant una músi-
ca inventada.

Durant uns moments van viure el seu propi pe-
tit musical, abans de rodolar per terra rient.

—M'imagino, doncs, que t'agrada —va dir la
Lisa sense parar de riure.

—Sí, només que em sento una mica...

—Estrany?

—Sí. Una mica estrany.

—Però, et queda bé —va assegurar la Lisa.

—Ho dius de debò? —va preguntar en Dennis. S'ho estava passant massa bé estirat a la catifa amb la Lisa i es va sentir avergonyit, de manera que es va posar dret i es va tornar a mirar al mirall. La Lisa el va seguir.

—Sí, de fet, tens un aspecte fantàstic —va contestar—. Saps una cosa?

—Què? —va preguntar en Dennis encuriosit.

—Crec que enganyaries a qualsevol vestit d'aquesta manera. Sembles una noia.

—De debò? N'estàs segura? —En Dennis es va tornar a contemplar al mirall, forçant la vista. Intentava imaginar-se que mirava un desconegut.

Sí que s'assemblava una mica a una noia.

—Sí —va contestar la Lisa—. N'estic segura. Estàs fantàstic. Vols emprovar-te res més?

—No sé si ho hauria de fer... —va contestar en Dennis, tot d'una, cohibit—. Podria entrar algú.

—El pare i la mare són al centre de jardineria. És tan avorrit... Però els encanta anar-hi! Confia en mi, no tornaran fins d'aquí a unes hores.

—Bé, doncs, potser aquest? —va proposar en Dennis, mentre li ensenyava un vestit llarg morat que la Lisa havia copiat d'un que havia vist dur a la Kylie en una entrega de premis.

—Bona tria!

Després, es va emprovar un vestit vermell curt que la mare de la Lisa havia comprat perquè el dugués en un casament de la família, després una minifaldilla groga bombada dels anys vuitanta que la tieta Auntie li havia deixat i, finalment, un vestit blau i blanc preciós amb motius nàutics que la Lisa havia trobat en una col·lecta per al càncer.

Aquella tarda en Dennis es va acabar emprovant el guarda-roba sencer de la Lisa. Sabates daurades, platejades, vermelles i verdes, botes, bosses de mà grans i petites, moneders, bruses, faldilles

llargues, minifaldilles, arracades, esclaves, pinces per als cabells, ales de fada... fins i tot una tiara!

—No és just! —es va queixar en Dennis—. Les noies teniu totes les millors coses!

—Aquí no hi ha normes —va contestar la Lisa—. Dennis, pots ser qui vulguis!

9

«Bonjour, Denise»

L'endemà al matí, en Dennis jeia al llit completament quiet, però se sentia com en una muntanya russa. El cap li anava a mil per hora. Emprovar-se tots aquells vestits l'havia fet sentir com si ja no hagués de ser l'avorrit Dennis, vivint aquella vida avorrida. «Puc ser qui vulgui!», va pensar.

Es va dutxar. El lavabo era d'un to verd semblant a l'alvocat. En Dennis mai no havia entès per què els seu pares havien triat un color tan horrible per a un lavabo. Si li ho haguessin preguntat, hauria fet instal·lar una banyera clàssica blanca, que hauria combinat amb unes rajoles blanques i negres. Però, com que era petit, mai no li havien demanat el parer.

Per utilitzar la dutxa necessitaves ser precís com un lladre de caixes fortes. Si giraves la maneta un mil·límetre cap a l'esquerra o cap a la dreta, l'aigua sortia freda com el gel o bullint. En Dennis va situar la maneta just a on calia per no quedar congelat ni socarrimat, i es va posar una mica de gel de dutxa Imperial Leather a la mà. Era part de la rutina avorrida de la seva vida. No obstant això, d'alguna manera, el món havia canviat. Ara se li oferia ple de possibilitats.

A baix, a la cuina, en John menjava una torrada amb crema de xocolata i mirava *Hollyoaks*.

—El pare ja ha marxat? —va preguntar en Dennis.

—Sí, he sentit com se n'anava a les quatre. Que no t'ha despertat, el camió?

—No, em sembla que no.

—No sé què ha dit que havia de llevar-se aviat per dur menjar de gat a Doncaster.

En Dennis va pensar que la vida del seu pare com a camioner no era tan glamurosa com semblava.

I, de fet, no semblava gens glamurosa.

En Dennis es va servir una mica de cereals d'arròs i, just quan estava a punt de menjar-ne una cullerada, va sonar el timbre. Era un timbre confiat, llarg i fort.

RRRRRIIIIIⅢⅢⅢⅢⅢⅢIIIIING!

En Dennis i en John tenien tanta curiositat per saber qui podia trucar a la porta un diumenge al matí que tots dos es van precipitar a obrir-la. El carter mai no venia el diumenge al matí, perquè preferia fer la ronda a alguna hora de la tarda.

No era el carter.

Era la Lisa.

—Hola —va saludar.

—Er... —va fer en John, que, tot d'una, era incapaç d'articular cap paraula.

En Dennis sabia que la Lisa li agradava perquè a l'escola no parava de mirar-la. Però, de fet, la Lisa agradava a tothom. Era tan increïblement bonica que fins i tot als esquirols se'ls tallava la respiració quan la veien passar.

—Mmm, què vols? —va preguntar bruscament en John, incapaç de reaccionar de manera adequada tan a prop de la bellesa.

—He vingut a veure en Dennis —va anunciar.

—Oh —va fer en John. Es va tombar cap a en Dennis amb una mirada de dolor i ressentiment als ulls, com un gos al qual estan a punt d'abandonar.

—Entra —li va oferir en Dennis, encantat de veure com la situació havia trasbalsat en John—. Estava esmorzant.

En Dennis va conduir la Lisa fins a la cuina. Es van asseure.

—Oh, m'encanta *Hollyoaks* —va explicar la Lisa.

—Sí, a mi també.

En John el va fulminar amb una mirada que clarament volia dir: «Tu, mentider fastigós, mai no has mostrat cap interès per veure aquest culebrot adolescent de llarga durada ambientat a Chester».

En Dennis el va ignorar.

—Vols res per menjar? —va preguntar a la Lisa.

—No, estic bé. Però m'encantaria una tassa de te.

—Guai —va contestar en Dennis, i va afegir una mica d'aigua a la tetera. En John li va llançar una altra mirada. Aquella deia molt clarament: «Mai no dius "guai". Estic tan enfadat que t'hauré d'arrencar el cap i fer-lo servir de pilota de futbol».

—Ahir m'ho vaig passar bé —va dir la Lisa.

—Psí —va contestar en Dennis tímidament, perquè no volia parlar-ne gaire davant del seu germà—. M'ho vaig passar molt bé... —Sabia que allò faria morir d'enveja el seu germà, i va afegir—: ... amb tu.

—Se suposa que ara havíem d'anar al parc a jugar a futbol —va dir en John, intentant recalcar cada paraula per semblar autoritari, tot i que, de fet, semblava boig.

—Vés tirant. Jo em quedaré amb la Lisa una estona. —En Dennis va mirar en John i va somriure. La Lisa també va somriure.

La Lisa i en Dennis van sentir com la porta es tancava darrere seu. Ella va riure animadament amb tota aquella intriga.

—Bé, com et sents avui? —va preguntar.

—Doncs... em sento... bé! —va contestar en Dennis.

—Tinc una idea —va anunciar la Lisa—. Boja, però...

—Digues.

—Bé, ja saps el que et diré, oi? Allò que podries enganyar qualsevol i fer-li creure que ets una noia...

—Sí —va contestar, nerviós, en Dennis.

—Doncs, bé, alguns nois de l'escola tenen estudiants francesos d'intercanvi a casa seva.

—I? —va preguntar en Dennis.

—I he pensat... és una bogeria, però... He pensat que et podria vestir com una noia i dur-te al quiosc d'en Raj i explicar-li que ets la meva amiga francesa o alguna cosa per l'estil. No hauries de parlar gaire, perquè, ja saps, series francesa!

—No! —va cridar en Dennis. Sentia l'eufòria i la por que sent algú al qual acaben de triar per assassinar el president.

—Podria ser divertit.

—Rotundament, no.

—Però... si fer-te passar per una noia seria genial.

—És una bogeria! Vaig al quiosc d'en Raj cada dia. Segur que em descobriria.

—Estic segura que no —va replicar la Lisa—. Tinc una perruca que la meva mare va comprar per a una festa de disfresses. Et podria maquillar una mica, com vaig fer ahir. Seria tan divertit! Fem-ho avui!

—Avui?

—Sí. Avui és diumenge, de manera que hi hauria d'haver menys gent. He portat un vestit, perquè confiava que acceptaries.

—No ho sé, Lisa. Tinc molts deures per fer.

—També t'he portat una bossa de mà...

Al cap de deu minuts, en Dennis es contemplava al mirall del rebedor. Duia un vestit curt de color blau elèctric i un moneder platejat. De fet, era un vestit de nit, no precisament el que duria algú per anar al quiosc un diumenge al matí.

I menys encara un noi de dotze anys.

Però tenir la Lisa per a ell, maquillant-lo, ficant-li els peus en dues sabates de taló platejades i pentinant la perruca havia estat tan divertit que no es queixava.

—De debò penses que en Raj es creurà que sóc la teva amiga francesa? —va preguntar.

—Estàs fantàstic. És tot qüestió de confiança. Si tu t'ho creus, tothom ho farà.

—Potser sí...

—Vinga, a veure com camines.

En Dennis es va passejar amunt i avall del rebedor, imitant tan bé com sabia una model de passarel·la.

—Mmmm, és com quan en Bambi va fer les seves primeres passes —va comentar la Lisa amb una rialla.

—Moltes gràcies.

—Ho sento, només feia broma. Mira, amb talons com aquests, has de mantenir el cos recte.

En Dennis va copiar la postura de la Lisa i de seguida es va sentir més segur amb les sabates platejades.

—De fet, m'agrada força —va reconèixer.

—Sí, ser una mica més alt és una sensació agradable. I també et fa unes cames fantàstiques.

—Denise també és un nom francès? —va preguntar.

—Si dius qualsevol cosa amb accent francès, sembla francès —va explicar la Lisa.

—*De-neeze* —va dir en Dennis, rient—. *Bonjour, je m'appelle De-neeze.*

—*Bonjour, Denise. Vous êtes très belle* —va dir la Lisa.

—*Merci beaucoup, Mademoiselle Lisa.*

Tots dos van riure.

—Estàs preparat? —va preguntar la Lisa.

—Preparat per...?

—Per sortir.

—No, és clar que no.

—Però?

—Però ho faré!

Tots dos van tornar a riure. La Lisa va obrir la porta i en Dennis va sortir a la llum del sol.

10

Patates Monster Munch amb gust de ceba confitada

En un primer moment la Lisa aguantava la mà d'en Dennis perquè no caigués. Després d'unes quantes passes, en Dennis va agafar confiança i va començar a caminar amb més seguretat.

Certament, costa una mica acostumar-se als talons alts. Tampoc no és que jo n'hagi dut. M'ho ha explicat algú.

Ben aviat van arribar al quiosc d'en Raj. La Lisa va prémer la mà d'en Dennis per tranquil·litzar-lo. En Dennis va respirar fondo i van entrar al quiosc.

—Bon dia, senyoreta Lisa —la va saludar en

Raj, fent un somriure d'orella a orella—. Li he reservat el nou número de la *Vogue* italiana. Déu del cel! Com pesa! Com un totxo! L'he demanat especialment per a vostè.

—Ostres, moltes gràcies, Raj —va contestar la Lisa.

—I qui és la seva nova amiga?

—Oh, és el meu ami... amiga francesa d'intercanvi, la Denise —va contestar la Lisa.

En Raj va observar en Dennis durant uns segons. L'havien aconseguit enganyar? En Dennis tenia la boca seca per culpa dels nervis.

—Ah, hola, Denise. Benvinguda al meu quiosc —el va saludar en Raj. La Lisa i en Dennis van intercanviar un somriure. En Dennis quedava tan bé com a Denise que era evident que en Raj no sospitava res—. Segurament, és el millor quiosc de tot Anglaterra! Pot comprar totes les postals que vulgui per enviar-les a casa!

En Raj va agafar un paquet de postals completament blanques.

—No tenen cap dibuix, Raj —es va queixar la Lisa.

—Sí, hi hauran de dibuixar alguns paisatges de Londres. Tinc una selecció incomparable de bolígrafs de punta fina. O sigui, que és francesa...

—Sí —va contestar la Lisa.

—*Oui* —va afegir en Dennis, sense gaire convicció.

—Sempre he volgut anar a França —va confessar en Raj—. És a França, oi?

La Lisa i en Dennis van intercanviar una mirada de desconcert.

—Bé, si hi ha res que pugui fer mentre és a Anglaterra, senyoreta... M'haurà de perdonar, però com es deia? —va preguntar en Raj.

—*De-neeze* —va contestar en Dennis.

—Té un accent preciós, senyoreta Denise.

—*Merci.*

—Què ha dit? —va preguntar en Raj.

—Gràcies —va aclarir la Lisa.

—Oh! *Merci, merci* —va repetir en Raj, encantat amb aquell descobriment—. Ara ja sé parlar francès! Si hi ha res que pugui fer, no dubti a fer-m'ho saber, sisplau. Ara, Lisa, abans que marxin, tinc una oferta especial avui de la qual li vull parlar.

La Lisa i en Dennis van mirar el cel en un gest d'avorriment.

—Nou ous Kinder pel preu de vuit.

—No, gràcies —va contestar la Lisa.

—*Non, merci* —va contestar en Dennis, que estava guanyant confiança.

—Tinc unes excel·lents bosses de patates Monster Munch amb gust de ceba confitada, només que estan una mica caducades. Quinze bosses al preu de tretze. Són una exquisidesa britànica. Potser la seva amiga francesa les voldrà tastar i endur-se'n una a casa per a la seva família.

—Només m'enduré la *Vogue* italiana. Gràcies,

Raj —va contestar la Lisa mentre deixava els diners sobre el taulell—. Adéu.

—*Au revoir* —va afegir en Dennis.

—Adéu, senyoretes, tornin aviat.

Van sortir del quiosc completament emocionats, corrent carrer avall i portant la revista extraordinàriament gruixuda entre tots dos. En Raj va sortir del quiosc amb una bossa de patates i va cridar:

—Li ofereixo una ganga, Lisa. Li dono una altra bossa de Monster Munch amb gust de rosbif completament gratuïta!

La veu d'en Raj va ressonar pel carrer mentre la Lisa i en Dennis corrien sense alè a causa de l'excitació.

11

Aquests talons alts
m'estan matant

—Ho has fet! —va exclamar la Lisa, mentre se-
ien contra una paret per recuperar l'alè.

—Realment s'ha pensat que era una noia! —va
exclamar en Dennis—. Mai m'ho havia passat tan
bé!

—Vinga, anem cap al centre, doncs! Segur que
hi ha una pila de gent!

—M'encantaria, Lisa, però aquests talons alts
m'estan matant! —es va queixar en Dennis.

—Ser una noia no és tan fàcil, oi? —va dir ella.

—No, no en tenia ni idea, que les vostres sabates
fessin tant mal. Com us ho feu per dur-les cada dia?

Es va treure les sabates i es va fregar els peus. Els tenia com si els hagués ficat en un cargol de fuster.

—Va, tornem, Lisa. De tota manera, m'he de canviar i anar a trobar en John al parc. Segur que es pregunta on sóc.

—Oh! —va fer la Lisa, que no podia amagar la seva decepció—. Esgarriacries.

—Bon dia, Lisa!

Era en Mac, un noi del curs de la Lisa. Va enfilar panteixant el carrer per arribar on eren. En Mac era un dels nois més grassos de l'escola, i suportava la celebritat indesitjable que aquest fet comporta. Venia del quiosc d'en Raj i duia una bossa enorme de llaminadures.

—Oh, hola! —va contestar la Lisa animadament, abans de dir a cau d'orella d'en Dennis—: No t'amoïnis, no diguis res. —Va alçar la veu i va preguntar—: I doncs, Mac, duus res interessant?

A diferència de la majoria dels alumnes, la Lisa anomenava en Mac pel seu nom, en comptes de fer-ho pel seu renom: «Big Mac amb patates fregides». De vegades, els nens s'encomanen la crueltat de forma inconscient, tal com passa amb un refredat, però la Lisa era diferent.

—Oh, només el meu esmorzar, Lisa. Un parell de paquets de Maltesers, un Toblerone, un Bounty, Jelly Tots, alguns Skips, set bosses de Monster

Munch que en Raj tenia d'oferta, una capsa de Creme Eggs i una llauna de Coca-Cola light.

—Coca-Cola light? —va preguntar la Lisa.

—Sí. Estic mirant de perdre una mica de pes —va explicar en Mac sense gens d'ironia.

—Bé, doncs, que tinguis sort —va contestar la Lisa, gairebé sense ironia—. Si tots fóssim prims, no tindria cap gràcia.

—Potser no. Com es diu la teva encantadora amiga? —va preguntar amb un somriure, mentre s'entaforava tot un Creme Egg a la boca.

—Oh, és la meva amiga francesa, la Denise. Es quedarà a casa meva durant un temps.

En Dennis va fer un somriure insegur a en Mac. En Mac el va mirar sense parar de mastegar. Van passar uns llargs segons abans que en Mac pogués triturar prou Creme Egg per continuar parlant.

—*Bonjour, Denise* —va murmurar a través de la xocolata.

—*Bonjour, Mac* —va contestar en Dennis, pregant perquè la conversa no anés més enllà de les poques paraules en francès que sabia.

—*Parlez-vous anglais?* —va preguntar en Mac.

—*Oui*, vull dir que sí, una mica —va contestar en Dennis amb poca traça.

—Una vegada va venir a passar uns quants dies a casa un amic francès. Es deia Hervé. Un noi simpàtic, però feia una mica de pudor. No es volia dutxar, de manera que, al final, el vam haver de ruixar amb la mànega al final del jardí. —Encara mastegava—. L'Hervé venia amb mi a l'escola... Hi aniràs demà amb la Lisa? Confio que sí. Penso que les noies franceses són precioses.

Mentre deia allò li regalimava un fil de xocolata per la barbeta. En Dennis va adreçar a la Lisa una mirada de pànic.

—Mmm, sí, és clar, la Denise vindrà amb mi demà —va contestar la Lisa.

—Ah sí? —va preguntar en Dennis, tan sorprès que gairebé, de cop, perd la veu de noia i l'accent francès.

—Sí, és clar que ho faràs. Ens veurem demà, Mac.

—Molt bé, noies. *Au revoir!* —va dir en Mac, abans de baixar el carrer, gronxant alegrement la bossa de llaminadures mentre ho feia.

—Oh no! —es va exclamar en Dennis.

—Oh sí! —el va corregir la Lisa.

—Que t'has tornat boja?

—Au va, si més no, pensa-t'ho. Imagina't que enganyessis tothom a l'escola. Riuríem tant, i seria el nostre petit secret.

—Bé, m'imagino que seria increïble —va reconèixer, esbossant un somriure cada cop més gran—. Si els professors, els amics, el meu germà, si tothom cregués que sóc una noia...

—Sí...?

—D'acord, però necessitaré unes altres sabates!

Poc podia saber en Dennis, mentre tornava fent tentines a casa per culpa d'aquelles sabates incòmodes, que estava a punt de fotre's una patacada.

12

Un altre món

—Encara m'amoïnen les sabates —va explicar en Dennis.

—Són perfectes. Ningú no s'adonarà que són extragrans.

Era dilluns al matí, i la Lisa i en Dennis eren davant de la porta d'entrada de l'escola. En Dennis tornava a vestir com a Denise, amb aquell vestit taronja que li agradava tant. Potser era per culpa dels lluentons, o potser dels nervis, però estava suant.

—No ho puc fer... —va dir en Dennis.

—Tot anirà bé —el va tranquil·litzar la Lisa,

parlant fluix perquè alumnes i professors entraven a l'escola.

—No hauràs de dir gaire res. Aquí ningú no sap parlar francès. Amb prou feines saben parlar anglès.

En Dennis estava massa nerviós per riure amb la broma de la Lisa.

—Enganyar en Raj i en Mac és una cosa, però tota l'escola? Vull dir que segur que algú em reconeixerà...

—Ningú no ho farà. Estàs tan diferent. Mai de la vida ningú podria pensar que ets en Dennis.

—No cridis tant!

—Ho sento. Mira, confia en mi, ningú no tindrà ni idea de qui ets. Però, ja saps, si ho prefereixes, podem tornar a casa...

En Dennis s'ho va pensar uns segons.

—No. Aquesta seria l'opció avorrida.

La Lisa es va limitar a somriure. En Dennis li va

tornar el somriure i va entrar gallejant al pati. La Lisa va haver d'accelerar el pas.

—Calma't —li va demanar la Lisa—. Ets una alumna francesa d'intercanvi, no una super-model.

—Ho sento, vull dir, *desolée*.

Alguns nois s'aturaven i miraven. Fos com fos, els nois sempre es miraven la Lisa, perquè era increïblement atractiva. I a les noies els agradava mirar què duia de roba, fins i tot les envejoses que s'empescaven excuses perquè no els agradés. Però ara que anava amb aquella noia nova que no duia l'uniforme de l'escola, hi havia més motius per mirar-la. En Dennis podia notar tots aquells ulls al damunt i li encantava. Va veure com en Darvesh l'esperava davant de l'aula com sempre feia. De vegades, feien alguns xuts ràpids abans que sonés el timbre. En Darvesh es va quedar mirant en Dennis durant uns segons, i després va apartar la mirada. «Ostres», va pensar en Dennis, «ni tan sols el meu millor amic no m'ha reconegut.»

L'aula de la Lisa era al pis superior de l'edifici gran de l'escola. Tot i que en John feia el mateix curs que la Lisa, no anaven a la mateixa classe. I els nois que tenien dos anys més que en Dennis no el coneixien, de la mateixa manera que ell tampoc no els coneixia. Per tant, en Dennis mai no s'havia creuat amb la majoria de la gent de la classe de la Lisa. En una escola de gairebé mil alumnes, passar inadvertit era molt fàcil.

Si no és, és clar, que fossis increïblement guapa, com la Lisa, o que haguessis posat la titola dins un tub d'assaig en plena classe de química, com havia fet en Rory Malone.

Quan van arribar a l'aula, el timbre ja havia sonat. Hi van entrar just quan la professora de gimnàs de la Lisa, la senyoreta Bresslaw, passava llista. La senyoreta Bresslaw era una professora d'educació física molt apreciada, tot i que tenia força mal alè.

Hi havia la llegenda a l'escola que una vegada havia trencat una finestra de la sala de professors amb el seu mal alè, però aquell mite només se'l solien creure els alumnes nous.

—Steve Connor.

—Present.

—Max Cribbins.

—Present.

—Louise Dale.

—Sí.

—Lorna Douglas.

—Present.

—I Lisa James... fas tard.

—Ho sento, senyoreta.

—Qui és aquesta noia que t'acompanya?

—És la meva alumna francesa d'intercanvi, la senyoreta Denise.

—Ningú no me n'ha informat —es va queixar la senyoreta Bresslaw.

—Ah, no? Ho sento. Ho vaig dir clarament a en Hawtrey.

—El senyor Hawtrey, Lisa —la va renyar la senyoreta Bresslaw.

—Ho sento, senyoreta Hawtrey, el paio que fa de director. Li ho vaig explicar.

La senyoreta Bresslaw es va aixecar de la cadira i es va acostar a la nouvinguda. Mentre observava en Dennis, va sospirar profundament. «Mmm», va pensar en Dennis, «fa molta pudor.» Era una barreja de cigarretes, cafè i caca. Va aguantar la respiració. Notava que ara suava molt. Tenia por que se li fongués el maquillatge i comencés a fer una bassa a terra. Es va fer el silenci durant uns segons. La Lisa va somriure. La senyoreta Bresslaw, finalment, també va somriure.

—Bé, així doncs, cap problema —va afirmar—. Denise, seu, sisplau. Benvinguda a l'escola.

—*Merci beaucoup* —va contestar en Dennis—. Ell i la Lisa van seure junts. La senyoreta Bresslaw va continuar passant llista.

La Lisa va buscar la mà d'en Dennis per sota del pupitre. La va prémer suaument per dir-li: «No t'amoïnis». En Dennis li va tornar l'encaixada perquè era una sensació molt agradable.

Mentre baixaven pel passadís per anar a la classe d'història de la Lisa, en Mac els va perseguir panteixant per atrapar-los.

—Hola, noies.

—Oh, hola, Mac —va contestar la Lisa—. Com va la dieta?

—A poc a poc —va contestar en Mac, mentre desembolicava un Twix—. *Bonjour, Denise* —va saludar en Mac nerviosament.

—*Bonjour*, de nou, Mac —va contestar en Dennis.

—Mmm.... Només pensava que... segurament diràs que no, però si no fas res després de classe amb la Lisa, em preguntava si t'agradaria anar a prendre un o dos gelats amb mi.

En Dennis va llançar una mirada de pànic a la Lisa. La Lisa va intervenir:

—Saps què, Mac? La Denise i jo ja hem fet plans per a després de classe. Però sé que li encantaria. Potser el proper cop que vingui, d'acord?

En Mac semblava decebut, però no enfonsat. En Dennis estava impressionat pel tacte amb què la Lisa li havia donat carabasses en nom seu.

—Així, doncs, potser et tornaré a veure més tard —va dir en Mac. Va fer un somriure tímid i les va avançar, mastegant el Twix i desembolicant un Walnut Whip mentre ho feia.

La Lisa va esperar que no els pogués sentir abans de dir:

—Li agrades de debò.

—Oh no! —va protestar en Dennis.

—No t'amoïnis. És fantàstic —va dir la Lisa—. És genial, de fet. Deu voler dir que resultes molt convincent com a noia —va explicar rient.

—No fa gens de gràcia.

—I tant que sí —va contestar i va tornar a riure.

La primera classe del dia, geografia, va transcórrer sense cap novetat, tot i que en Dennis no creia que haver descobert l'existència dels llacs Oxbow fos de cap utilitat per a la seva vida adulta.

Sempre que, és clar, no volgués ser professor de geografia.

Tampoc no va passar res durant la segona classe, física. Imants i llimadures de ferro... Fascinant! En Dennis no havia entès aquella matèria quan era un noi i encara l'entenia menys ara que era una noia. Ràpidament estava descobrint que:

Era preferible no dir res durant la classe.

Havia d'encreuar les cames quan duia un vestit curt.

I, el més important de tot: no s'havia de quedar mirant cap noi perquè podia resultar més atractiva del que es pensava!

El timbre va tornar a sonar no prou aviat. Havia arribat l'hora del pati.

—He d'anar al lavabo —va explicar en Dennis, una mica atabalat.

—Jo també —va contestar la Lisa—. Anem-hi junts.

La Lisa va agafar la mà d'en Dennis i van creuar les portes del lavabo de noies.

I van entrar en un altre món...

Els nois tractaven el lavabo com un lloc purament funcional. Feies el que hi havies de fer, potser escrivies algun insult contra el senyor Hawtrey a la porta del lavabo i llavors te n'anaves. Al lavabo de les noies, tot era una festa.

Era ple de gom a gom.

Desenes de noies lluitaven per una mica d'espai al voltant dels miralls, mentre d'altres parlaven amb les veïnes en els compartiments següents.

La Lisa i en Dennis es van ficar a la cua d'un dels vàters. En Dennis no estava acostumat a fer cua, però va descobrir que li agradava. Escoltar

com totes aquelles noies xerraven i no paraven de bellugar-se era tota una novetat. Sense la presència dels nois, les noies semblava que es comportaven de manera molt diferent. Xerraven, reien i ho compartien tot. Les rialles, la purpurina, el maquillatge glamurós... Quin món tan meravellós!

La Lisa es va retocar el maquillatge. Estava a punt de guardar-se la capseta de maquillatge quan es va aturar.

—Vols que et maquilli? —li va preguntar com si fos ben normal.

—Oh, i tant, sisplau! —va contestar en Dennis articulant el seu millor accent francès.

—Deixa'm pensar —va dir la Lisa, furgant a la bossa—. Potser hauríem de provar un pintallavis d'un altre color...

—En tinc un de rosa fantàstic, Lisa —li va oferir una de les noies.

—Jo acabo de comprar una ombra d'ulls nova —va dir una altra—. La vols provar?

Abans que en Dennis pogués dir res, totes aquelles noies l'envoltaven, ajudant a posar-li pintallavis, crema facial, coloret, llapis d'ulls, mascareta, brillant de llavis... de tot.

En Dennis no se sentia tan feliç des de feia anys. Totes aquelles noies xerrant amb ell, fent-lo sentir especial. Se sentia al paradís.

13

Dues hores de francès

—Això és un infern —va xiuxiuejar en Dennis.

—Xst —li va ordenar la Lisa.

—No m'havies dit que avui tenies francès!

—Ho havia oblidat.

—Que te n'havies oblidat, dius? —va preguntar en Dennis.

—Xst. I, de fet, tinc dues hores de francès.

—*Bonjour, la classe* —va dir amb veu forta la senyoreta Windsor en el moment d'entrar. En Dennis va pregar perquè no el reconegués del dia del càstig.

—*Bonjour*, senyoreta Windsor —va contestar tota la classe al mateix temps. La senyoreta Wind-

sor sempre començava les classes en francès. Això creava la falsa impressió que tots els alumnes parlaven francès amb fluïdesa. De sobte, va veure la noia del vestit taronja i tot el maquillatge. De fet, era impossible que la senyoreta Windsor no la veiés. Sobresortia com una bola de discoteca enmig de la grisor de l'aula.

—*Et qui êtes-vous?* —va preguntar. En Dennis es va quedar paralitzat per la por, amb la terrible

sensació que estava a punt de vomitar o de fer-se
pipí a sobre, o de totes dues coses alhora, si és que
allò era possible.

Frustrada per la falta de resposta, la senyoreta
Windsor va deixar de parlar francès, com sovint
havia de fer poc després d'entrar a l'aula, i va con-
tinuar en anglès.

—I tu qui ets? —va repetir.

En Dennis va continuar sense dir res.

Tothom mirava la Lisa. La noia va empassar-se la saliva.

—És la meva amiga alemanya, senyoreta —va explicar.

—Em pensava que havies dit que era francesa —va dir en Mac innocentment, amb la veu una mica apagada pel Rolo que estava mastegant.

—Ostres, sí, ho sento. Amiga francesa. Gràcies, Mac —va dir la Lisa amb un punt de sarcasme. Li va adreçar una mirada enutjada i ell va arrufar el front. Semblava dolgut i sorprès.

A la senyoreta Windsor se li va il·luminar de cop la cara. No havia somrigut tant des que havia guanyat la campanya perquè al menjador de l'escola servissin baguets a l'hora de dinar.

—*Ah, mais soyez la bienvenue! Quel grand plaisir de vous accueillir dans notre humble salle de classe! C'est tout simplement merveilleux! J'ai tant de questions à vous poser. De quelle région de la France venez-vous? Comment sont les écoles là-bas? Quel est votre passe-temps favori? Que font vos parents dans la vie? S'il-vous-plaît, venez au tableau et décrivez votre vie en France pour que nous puissions tous en bénéficier. Ces élèves pourraient tirer grand profit d'un entretien avec une vraie Française telle que vous! Mais rendez-moi un service, ne me corrigez pas devant eux!*

Com tothom a la classe, i, de fet, com la majoria de gent que llegcixi aquest llibre, tret dels extraordinàriament intel·ligents o els francesos, en Dennis no tenia ni la més petita idea de què havia dit la senyoreta Windsor. Jo vaig haver de recórrer a un amic que té un diploma de francès perquè m'ho traduís. De tota manera, en essència, el que la senyoreta Windsor diu és que està encantada de tenir una francesa de debò a classe i li fa moltes preguntes sobre França. Si més no, així ho espero, si no és que el meu amic m'està fent una broma de molt mal gust i la senyoreta Windsor parla dels seus episodis preferits de *Spongebob SquarePants* o alguna cosa per l'estil.

—Er... sí —va contestar en Dennis, confiant que dient només «sí» no es ficaria en gaires problemes. Malauradament, la senyoreta Windsor es va anar animant cada cop més, i va conduir en Dennis davant tota la classe, sense parar de recitar tota excitada en francès.

—*Oui, c'est vraiment merveilleux. On devrait faire cela tous les jours! Faire venir des élèves dont le français est la langue maternelle! Ce sont les jours comme celui-ci que je me souviens pourquoi j'ai voulu devenir prof. S'il-vous-plaît, racontez-nous vos premières impressions de l'Angleterre.*

En Dennis era dret davant de tota la classe. La Lisa semblava que volgués cridar i ajudar, però no aconseguia emetre cap so.

En Dennis se sentia com si estigués sota l'aigua o en un somni. Va observar l'estranya quietud de l'aula. Tothom el mirava. No es movia res tret de la mandíbula d'en Mac.

Els Rolos són extremament durs de mastegar.

—Puc parlar en anglès un moment? —va demanar en Dennis en un accent francès insegur.

La senyoreta Windsor va fer una cara lleugerament sorpresa i molt decebuda.

—Sí, és clar.

—Mmm, com ho podria dir, com es diu... educadament?

—*Poliment, oui.*

—Senyoreta Windsor —va continuar en Dennis—, el seu accent francès és molt pobre i no puc entendre res del que diu.

Alguns alumnes van esclatar a riure de forma cruel. Una llàgrima solitària va aparèixer a l'ull de la senyoreta Windsor i li va rodolar per la galta.

—Es troba bé, senyoreta? Necessita un mocador? —va preguntar la Lisa, abans de fulminar en Dennis amb la mirada.

—No, no, em trobo perfectament bé, gràcies, Lisa.

—Només és que se m'ha ficat alguna cosa a l'ull, això és tot.

La senyoreta Windsor es va quedar trontollant com si li haguessin disparat però encara no hagués caigut a terra.

—Mmm, per què no feu una estona de lectura en silenci? Necessito sortir un moment per prendre una mica l'aire.

Es va dirigir amb pas vacil·lant cap a la porta de la classe, com si una bala s'estigués acostant a poc a poc al seu cor. Va tancar la porta darrere seu. Durant uns segons, no es va sentir res. Després, de fora l'aula es va sentir un gemec enorme.

—Buaaaaaaaaaaaaaaaaaaaaaaaaaaaaaaaaaaaa.

Després, es va tornar a fer el silenci.

Un altre gemec.

—Buaaaaaaaaaaaaaaaaaaaaaaaaaaaaaaaaaaa.

Uns segons de silenci i un gemec més llarg.

—Buaaaaaaaaaaaaaaaaaaaaaaaaaaaaaaaaaaa
aaaaaaaaaaaaaaaaaaaaaaaaaaaaaaaaaaaaaa
aaaaaaaaaaaaaaaaaaaaaaaaaaaaaaaaaaaaaa
aaaaaaaaaaaaaaaaaaaaaaaaaaaaaaaaaaaaaaaa
aaaaaaaaaaaaaaaaaaaaaaaaaaaaaaaaaaaaaa
aaaaaaaaaaaaaaaaaaaaaaaaaaaaaaaaaaaaaaa
aaaaaaaaaaaaaaaaaaaaaaaaaaaaaaaaaaaaaaa

aaaaaaaaaaaaaaaaaaaaaaaaaaaaaaaaaaaaaaaaaaaaaa
aaaaaaaaaaaaaaaaaaaaaaaaaaaaaaaaaaaaaaaaaaaaaa
aaaaaaaaaaaaaaaaaaaaaaaaaaaaaaaaaaaaaaaaaaaaa
aaaaaaaaaaaaaaaaaaaaaaaaaaaaaaaaaaaaaaaaaaaa
aaaaaaaaaaaaaaaaaaaaaaaaaaaaaaaaaaaaaaaaaaaaaa
aaaaaaaaaaaaaaaaaaaaaaaaaaaaaaaaaaaaaa
aaaaaaaaaaaaaaaaaaaaaaaaaaa
aaaaaaaaaaaaaaaaaaaaaaaaaaaaaaaaa
aaaaaaaaaaaaaaaaaaaaaaaaaaaaaaaaaaaaaaaaaaaaaa
aaaaaaaaaaaaaaaaaaaaaaaaaaaaaaaaaaaaaaaaaaaaaa
aaaaaaaaaaaaaaaaaaaaaaaaaaaaaaaaaaaaaaaaaaaaaa
aaaaaaaaaaaaaaaaaaaaaaaaaaaaaaaaaaaaa
aaaaaaaaaaaaaaaaaaaaaaaaaaaaaaaaaaaaaaa
aaaaaaaaaaaaaaaaaaaaaaaaaaaaaaaaaaaaaaaaaaaaaa
aaaaaaaaaaaaaaaaaaaaaaaaaaaaaaa
aaaaaaaaaaaaaaaaaaaaaaaaaaaaaaaaaaaaaaaaaaaaaa
aaaaaaaaaaaaaaaaaaaaaaaaaaaaaaaaaaaaaaaaaa
aaaaaaaaaaaaaaaaaaaaaaaaaaaaaaaaaaaaaaaaaaaaa
aaaaaaaaaaaaaaaaaaaaaaaaaaaaaaaaaaaaaaaaaaa

aaaaaaaaaaaaaaaaaaaaaaaaaaaaaaaaaaaaaaaaaaaaaaaaaaa
aaaaaaaaaaaaaaaaaaaaaaaaaaaaaaa
aaaaaaaaaaaaaaaaaaaaaaaaaaaaaaaaa
aaaaaaaaaaaaaaaaaaaaaaaaaaaaaaaaaaaaaaaaa
aaaaaaaaaaaaaaaaaaaaaaaaaaaaaaaaaaaaa.

Les boques dels alumnes que havien rigut ara estaven ben tancades, perquè se'n penedien. La Lisa va mirar en Dennis, que va abaixar el cap. Va tornar al pupitre, ratllant el terra amb els talons alts i amb cara de pena.

Van passar uns quants segons, que van semblar hores, abans que la senyoreta Windsor tornés a l'aula. Tenia la cara vermella i inflada de tant plorar.

—Bé, doncs, mmm..., bé, vinga, aneu a la pàgina cinquanta-vuit del llibre de text i contesteu les preguntes (a), (b) i (c).

Tots els alumnes van començar a treballar, més callats i obedients que mai.

—Vol un Rolo, senyoreta? —va aventurar en Mac. Ningú no sabia millor que ell com pot arribar a consolar la xocolata en moments de desesperació.

—No, gràcies, Mac. No vull esguerrar el dinar. Hi ha *bœuf bourguignon*...

I es va tornar a posar a plorar de forma descontrolada.

14

Un silenci com una capa de neu

—Ets un, &**%$£% total!

Ups, ho sento. Sé que encara que els nens reals diuen paraulotes, no haurien de sortir en un llibre per a nens. Sisplau, perdoneu-me. Em sap %$£@$*& de greu, de debò.

—No hauries de dir paraulotes, Lisa —va dir en Dennis.

—Per què no? —va preguntar la Lisa empipada.

—Perquè et podria sentir algun professor...

—M'és igual, que em sentin —va contestar la Lisa—. Com has pogut fer això a la senyoreta Windsor?

—Ja ho sé.... Em sento tan malament...

—Segurament ara està plorant sobre el *bœuf bourguignon* —va comentar la Lisa quan van sortir al pati ple a vessar. Era l'hora de dinar, i la gent es reunia en grups, per xerrar i riure, gaudint de l'hora que tenien de llibertat condicional. Pertot es disputaven partits de futbol, partits als quals en Dennis normalment s'hauria afegit si no hagués dut una perruca, maquillatge i un vestit taronja de lluentons.

I talons alts.

—Potser hauria d'anar a disculpar-me... —va dir en Dennis.

—Potser, dius? —va preguntar la Lisa—. Ho has de fer. Anem a buscar-la al menjador. Hauria de ser-hi, sempre que no s'hagi tirat al riu Sena.

—Ostres, no em facis sentir pitjor.

Mentre creuaven el pati, els va caure una pilota als peus.

—Torna'ns-la, guapa —va cridar en Darvesh.

En Dennis no ho va poder evitar: les ganes de xutar la pilota eren massa fortes.

—No et facis veure gaire —li va demanar la Lisa quan ell hi va córrer al darrere. Però en Dennis no es va poder contenir, i la va perseguir a tota velocitat. La va aturar amb un toc hàbil, i la va aixecar per xutar-la i tornar-la al seu amic.

Però, quan va xutar la pilota amb aquells talons alts, va perdre l'equilibri i va caure de cul.

En aquell moment, la perruca li va relliscar cap endarrere fins a caure a terra.

La Denise es va tornar a convertir en en Dennis. Va semblar que el temps s'havia aturat. Allí hi havia en Dennis, al mig del pati, amb un vestit de noia, maquillatge i només una sabata. El silenci es va estendre per tot el pati com una capa de neu. Tothom va deixar de fer el que feia i es va girar per mirar-lo.

—Dennis? —va preguntar en Darvesh sense acabar-s'ho de creure.

—No, em dic Denise.

Però el joc s'havia acabat.

En Dennis se sentia com si acabés de mirar la Medusa, aquell monstre mitològic grec que convertia la gent en pedra.

No es podia moure. Va mirar la Lisa. Tenia una expressió de neguit a la cara. En Dennis va provar de somriure.

Llavors, del silenci va sorgir una rialla.

Després una altra.

I una altra.

No era la mena de rialla que saluda un fet divertit, sinó una rialla burleta, cruel, una rialla que vol ferir i humiliar. La rialla es va fer cada cop més forta, i en Dennis es va sentir com si tot el món es rigués d'ell.

Per a tota l'eternitat.

Ha, ha,

ha, ha, ha, ha, ha, ha, ha, ha, ha, ha, ha, ha, ha, ha, ha, ha, ha, ha, ha, ha, ha, ha, ha, ha, ha, ha, ha, ha, ha, ha, ha, ha, ha, ha, ha, ha, ha, ha, ha, ha, ha, ha, ha, ha, ha, ha, ha, ha!

—Tu, noi! —va bramar una veu des de l'edifici de l'escola. Les rialles es van aturar en sec, i tota l'escola va aixecar el cap. Era el senyor Hawtrey, el director amb el cor de pedra.

—És a mi, senyor? —va preguntar en Dennis, amb un to innocent artificial.

—Sí, tu. El noi del vestit.

En Dennis va adreçar una mirada al voltant del pati. Però ell era l'únic noi que duia un vestit.

—Sí, senyor?

—Vine al meu despatx. ARA.

En Dennis va començar a caminar a poc a poc cap a l'edifici de l'escola. Tothom va veure com caminava de manera insegura, fent tentines.

La Lisa va recollir l'altra sabata.

—Dennis —va cridar darrere seu.

El noi es va girar.

—Tinc l'altra sabata.

En Dennis es va tornar a girar.

—Ara no hi ha temps per a això, noi —va bramar el senyor Hawtrey, amb el bigotet tremolant de ràbia.

En Dennis va sospirar i va caminar obedient cap al despatx del director.

Tot el que hi havia al despatx era negre, o d'un marró molt fosc. Els volums de cuir que contenien els expedients dels alumnes omplien els prestatges, juntament amb algunes fotografies en blanc i negre de directors anteriors, les expressions severes dels quals feien que el senyor Hawtrey semblés gairebé humà. En Dennis mai abans no havia estat al despatx. Però, ben mirat, no és la mena de lloc que un vol visitar. Anar-hi només podia voler dir una cosa: QUE T'HAVIES FICAT EN UN BON MERDER.

—Que ets boig, noi?

—No, senyor.

—Aleshores, per què duus un vestit taronja de lluentons?

—No ho sé, senyor.

—No ho saps?

—No, senyor.

El senyor Hawtrey es va inclinar endavant.

—Això és pintallavis?

En Dennis volia plorar. Però, tot i que el senyor Hawtrey va veure com es formava una llàgrima als ulls d'en Dennis, el va continuar atacant.

—Anar vestit d'aquesta manera amb maquillatge i talons alts és fastigós.

—Ho sento, senyor.

Una llàgrima va rodolar per la galta d'en Dennis. La va recollir amb la llengua. Un altre cop, aquell gust amarg. Odiava aquell sabor.

—Espero que n'estiguis profundament avergonyit —va continuar dient el senyor Hawtrey—. N'estàs avergonyit?

Mai abans en Dennis s'havia sentit avergonyit. Però en aquell moment, sí.

—Sí, senyor.

—No et sento, noi.

—Sí, senyor. —En Dennis va abaixar la mirada durant uns segons. El senyor Hawtrey tenia els ulls injectats de sang i costava continuar-lo mirant—. Em sap greu, de debò.

—Ara ja és massa tard, noi. T'has saltat les classes, has ofès els professors. Ets una desgràcia. No penso tenir un degenerat com tu a la meva escola.

—Però, senyor...

—Estàs expulsat.

—Però... què passarà amb la final de copa de dissabte, senyor? He de jugar.

—Per a tu el futbol s'ha acabat, noi.

—Sisplau, senyor! Li ho suplico...

—He dit que ESTÀS EXPULSAT! Has de sortir de l'escola immediatament.

Un silenci com una capa de neu

15

No hi ha res més a dir

—Expulsat?

—Sí, pare.

—EXPULSAT?

—Sí.

—I per què carai t'han expulsat?

En Dennis i el seu pare seien a la saleta. Eren les cinc de la tarda i en Dennis s'havia tret el maquillatge de la cara i s'havia posat la seva roba.

Havia pensat que, si més no, amb allò pararia el cop.

S'havia equivocat.

—Doncs...

No estava segur de poder trobar les paraules. No estava segur que mai les pogués trobar.

—HA ANAT A L'ESCOLA VESTIT COM UNA NOIA! —va cridar en John, assenyalant en Dennis com si fos un extraterrestre que hagués enganyat momentàniament tothom adoptant una forma humana. Era evident que havia estat escoltant al costat de la porta.

—T'has vestit com una noia? —va preguntar el pare.

—Sí —va contestar en Dennis.

—Ho havies fet abans?

—Un parell de cops.

—Un parell de cops! T'agrada vestir-te com una noia?

El pare tenia a la cara aquella mirada desgraciada que en Dennis no havia vist des que la mare havia marxat.

—Una mica.

—O t'agrada o no t'agrada.

Va respirar fondo.

—Doncs, sí, pare. M'agrada. És... divertit.

—Què he fet per merèixer això? Al meu fill li agrada dur vestits!

—A mi no m'agrada, pare —va intervenir en John, amb ganes de penjar-se una medalla—. Mai no m'he posat cap vestit, ni tan sols per fer broma, i mai no ho faré.

—Gràcies, John —va contestar el pare.

—No passa res, pare. Puc anar a la nevera per agafar un Magnum?

—Sí —va contestar el pare, distret—. Pots prendre un Magnum.

—Gràcies, pare —va contestar en John, tot orgullós, com si li acabessin de donar una placa on digués «Fill número U».

—Ja n'hi ha prou. S'ha acabat veure aquell programa de l'*Small England* o com es digui on surten aquells dos idiotes disfressats de dones. És una mala influència.

—Sí, pare.

—I ara, vés-te'n a l'habitació i fes els deures
—va ordenar el pare.

—No tinc deures. M'han expulsat.

—Ostres, sí. —El pare d'en Dennis va pensar
durant uns segons—. Molt bé, doncs, vés a l'habitació.

En Dennis va passar pel costat d'en John, que
seia a les escales assaborint amb fruïció el seu Magnum.

Es va ajeure al llit en silenci, pensant com ho
havia esguerrat tot per posar-se simplement un
vestit. En Dennis va agafar la fotografia que havia
salvat de la foguera, en la qual sortien ell, en John i
la mare a la platja. Era tot el que li'n quedava. Va
observar la fotografia. Ho donaria tot per tornar a
ser en aquella platja amb una mica de gelat al voltant de la boca, agafant la mà de la mare. Potser si
se la quedava mirant més estona desapareixeria i
tornaria a aquella escena feliç.

Però, tot d'una, li van arrabassar la fotografia de les mans.

El pare l'hi va agafar.

—Què és això?

—Només és una foto, pare.

—Però si les vaig cremar totes. No vull res que recordi aquella dona en aquesta casa.

—Ho sento, pare. Va sortir volant de la foguera i va caure sobre la bardissa.

—Bé, doncs ara acabarà a les escombraries, com la teva revista.

—Sisplau, pare, no ho facis! Deixa que me la quedi. —En Dennis li va tornar a prendre la fotografia.

—Com goses! Dóna-me-la! ARA MATEIX! —va cridar el pare.

En Dennis mai no l'havia vist tan empipat. Va tornar-li la foto amb por.

—En tens cap altra?

—No, pare, aquesta és l'única, t'ho prometo.

—Ja no sé què he de creure. Sigui com sigui, ta mare té la culpa de tota aquesta història del vestit. Sempre va ser massa tova amb tu.

En Dennis es va quedar callat. No hi havia res més a dir. Va continuar mirant endavant. Va sentir com petava la porta. Va passar una hora, o potser va ser un dia, o un mes, o un any. En Dennis ja no n'estava segur. El present era un lloc on no volia ser i no podia veure cap futur.

La seva vida estava acabada, i només tenia dotze anys.

El timbre va sonar i, al cap d'uns segons, en Dennis va sentir la veu d'en Darvesh al pis de baix. Seguida de la del seu pare.

—Temo que ara no pot sortir de l'habitació, Darvesh.

—Però, senyor Sims, de debò que necessito veure'l.

—Temo que no serà possible. Avui no. I si veus aquella noia estúpida, la Lisa, que segons en John és qui li va donar la idea de vestir-se com una noia, li dius que no torni a aparèixer per aquí.

—Li pot dir que encara sóc amic seu? M'és igual el que hagi passat. Li ho pot dir?

—Ara mateix no parlaré amb ell, Darvesh. Serà millor que te'n vagis.

En Dennis va sentir com es tancava la porta, i llavors se'n va anar cap a la finestra. Va poder veure com en Darvesh baixava a poc a poc per l'avinguda, amb el *patka* moll per culpa de la pluja. En Darvesh es va girar i va veure en Dennis al costat de la finestra de l'habitació. Va fer un somriure trist i el va saludar. En Dennis va aixecar la mà per tornar-li la salutació. Llavors en Darvesh va desaparèixer.

En Dennis es va passar el dia tancat a l'habitació amagant-se del seu pare.

Just quan es va fer de nit, va sentir com algú picava fluixet a la finestra. Era la Lisa. S'havia enfilat a una finestra i mirava de parlar tan fluix com podia.

—Què vols? —va preguntar en Dennis.

—Necessito parlar amb tu.

—M'han prohibit tornar a parlar amb tu.

—Només deixa'm entrar un moment, sisplau.

En Dennis va obrir la finestra i la Lisa va entrar. Ell es va tornar a asseure al llit.

—Ho sento, Dennis. Ho sento de debò. Em pensava que seria divertit. No sabia que s'acabaria d'aquesta manera.

Li va posar una mà a l'espatlla i li va acaronar els cabells. Ningú no li havia acaronat els cabells des de feia anys. La seva mare ho solia fer cada nit quan el ficava al llit. En certa manera, li feia venir ganes de plorar.

—És ridícul, oi? —va xiuxiuejar la Lisa—. Vull dir que, per què les noies poden portar vestits i els nois, no? No té cap sentit!

—No passa res, Lisa.

—Vull dir que, expulsat? Senzillament, no és just. Ni tan sols van expulsar en Karl Bates quan va ensenyar el cul als inspectors de l'escola.

—I em perdré la final de futbol.

—Ho sé, i ho sento. Mira, jo no volia que passés. És una bogeria. Aconseguiré que en Hawtrey et deixi tornar a l'escola.

—Lisa...

—Ho faré. Encara no sé com, però t'ho prometo. —La Lisa el va abraçar i li va fer un petó durant un moment a frec dels llavis. Va ser un petó gloriós. Com podia ser, si no? Ben mirat, ella tenia la boca en forma de petó—. T'ho prometo, Dennis.

16

Amb el vestit o sense

En Dennis no va poder sortir de casa fins al cap de setmana. El pare havia tancat l'ordinador en un armari, i a en Dennis li van prohibir mirar la tele, de manera que es va perdre uns quants episodis de *Trisha*.

Finalment, el dissabte al matí, el pare va cedir i va poder sortir durant el dia. Volia anar al pis d'en Darvesh per desitjar-li sort en la final. De camí, es va aturar al quiosc d'en Raj per comprar alguna cosa per menjar. Només tenia tretze penics per gastar, perquè li havien congelat la setmanada de manera indefinida. En Raj el va saludar tan afectuosament com sempre.

—Ah, el meu client preferit —va exclamar en Raj.

—Hola, Raj —va dir en Dennis apagadament—. Tens res per tretze penics?

—Mmm, deixa'm pensar... La meitat d'una barra de Chomp?

En Dennis va esbossar un somriure. Era el primer cop en una setmana que somreia.

—M'agrada veure't somriure, Dennis. La Lisa m'ha explicat el que va passar a l'escola. Em sap molt greu.

—Gràcies, Raj.

—Però he de reconèixer que em vas enganyar! Eres molt guapa, Denise! Ha, ha! Però, vull dir que que t'expulsin per posar-te un vestit és una absurditat! No has fet res dolent, Dennis. No t'haurien d'haver fet sentir com t'han fet sentir.

—Gràcies, Raj.

—Sisplau, agafa algunes llaminadures...

—Ostres, gràcies... —Els ulls d'en Dennis es van il·luminar.

—... pel preu de vint-i-dos penics.

Veure com en Darvesh feia la bossa de futbol per a la final va ser més dur del que en Dennis havia imaginat. No poder jugar el partit era el pitjor d'haver estat expulsat.

—Em sap greu que avui no juguis amb l'equip, Dennis —va dir en Darvesh mentre olorava els mitjons per comprovar que fossin nets—. Ets el nostre davanter estrella.

—Tu i els nois ho fareu bé —va animar-lo.

—No tenim cap possibilitat sense tu i ho saps. En Hawtrey és molt cruel d'haver-te expulsat.

—Bé, ara ja està fet, oi? No hi puc fer res.

—Hi hem de poder fer alguna cosa. És tan injust... Només et vas disfressar. A mi no em molesta, ja ho saps. Continues sent en Dennis, el meu col·lega, amb el vestit o sense.

En Dennis estava realment commogut i volia abraçar en Darvesh, però, com que eren nois de dotze anys, normalment no s'abraçaven.

—De tota manera, aquells talons alts devien ser molt incòmodes —va opinar en Darvesh.

—Són una tortura! —va reconèixer en Dennis, rient.

—Aquí tens el teu berenar prepartit! —va dir la mare d'en Darvesh quan va entrar a l'habitació, duent una safata carregada amb menjar.

—Què és tot això, mama? —es va queixar en Darvesh.

—T'he preparat una mica de masala, arròs, dal, pa chapati, samoses, tot acompanyat d'un gelat de comtessa.

—Ara no puc pas menjar tot això, mama! Vomitaré! El partit comença d'aquí a una hora!

—Necessites forces, noi! Oi que sí, Dennis?

—Doncs, suposo —va dubtar en Dennis—. Sí.

—Digue-l'hi tu, Dennis, a mi no em vol escoltar! Saps què? Em sap molt greu que avui no puguis jugar.

—Gràcies, ha estat una setmana horrible —va reconèixer en Dennis.

—Pobre noi, expulsat simplement per no dur l'uniforme correcte de l'escola. En Darvesh no m'ho ha volgut explicar. Què duies exactament?

—Mmm, tampoc no importa, mama... —va intervenir en Darvesh. Va intentar fer-la fora de l'habitació.

—No, no passa res. No em fa res que ho sàpiga.

—Que sàpiga què? —va preguntar la mare d'en Darvesh.

—Bé. —En Dennis es va aturar abans de continuar parlant amb un to més seriós—. Vaig anar a l'escola amb un vestit taronja de lluentons.

Es va fer el silenci durant uns segons.

—Oh, Dennis —va dir ella—. És horrible el que vas fer!

En Dennis va empal·lidir.

—Vull dir que el taronja no és realment el teu color, Dennis —va continuar explicant—. Amb els cabells clars que tens, estaries millor amb un color pastel, com el rosa o el blau cel.

—Oh, mmm... gràcies —va dir en Dennis.

—No es mereixen, pots acudir a mi en qualsevol moment per demanar-me consell sobre estilis-

me. Ara, vinga, Darvesh, menja. Jo surto a posar el cotxe en marxa —els va informar mentre sortia de l'habitació.

—La teva mare és genial —va dir en Dennis—. L'estimo!

—Jo també l'estimo, però és boja! —va dir en Darvesh amb una rialla—. Així, doncs, penses venir a veure el partit? Tothom hi serà.

—No ho sé...

—Ja sé que se't farà una mica estrany, però vine amb nosaltres. Sense tu, no serà el mateix. Et necessitem allà, Dennis, encara que només sigui per animar. Sisplau...

—No sé si ho hauria de fer... —va començar a dir en Dennis.

—Sisplau...

17

Maudlin Street

En Dennis es va sentir fatal quan l'àrbitre va fer sonar el xiulet per començar el partit. Alumnes, pares i professors estaven tots agrupats i excitats al voltant del camp. La mare d'en Darvesh semblava a punt d'explotar d'excitació. S'havia fet lloc a cops de colze per arribar al capdavant de la gentada.

—Vinga, futbol! —no parava de cridar, emocionada ja abans de començar el partit.

El senyor Hawtrey era al costat de la mare d'en Darvesh. Seia en un giny estrany que era mig bastó mig seient. El fet que el director fos l'única persona asseguda feia que semblés algú molt important, tot i que el lloc on seia devia ser extraordinàriament incòmode. En Dennis es va apujar la caputxa de l'anorac perquè el senyor Hawtrey no el pogués reconèixer.

Tot i que ja no anava a l'escola, el director encara l'aterria.

En Dennis es va sorprendre quan va veure la Lisa dreta entre el públic al costat d'en Mac.

—Què hi fas, aquí? —va preguntar—. No sabia que t'agradava el futbol.

—Home, és la final —va contestar la Lisa, com qui no vol la cosa—. Només volia venir a animar, com tothom.

—Ara mateix em sento una mica avergonyit, Dennis —va confessar tímidament en Mac—. Ho dic per haver-te demanat per sortir.

—Ah, no t'amoïnis, Mac —va contestar en Dennis—. En certa manera, em vaig sentir afalagat.

—Home, estaves molt guapa com a noia —va reconèixer en Mac.

La Lisa va esclatar a riure.

—Més que la Lisa? —va preguntar fent broma en Dennis.

—Ei, vés amb compte, tu! —va intervenir la Lisa amb un somriure.

De cua d'ull, en Dennis va veure com la senyoreta Windsor travessava el camp per situar-se entre el públic.

—Ja has demanat perdó a la senyoreta Windsor, Dennis? —li va preguntar la Lisa, amb un to que suggeria que ja en sabia la resposta.

—Mmm, no encara, Lisa, però ho faré —va contestar avergonyit en Dennis.

—Dennis! —el va renyar la Lisa.

—Ho faré.

—Realment, li vas fer molt mal —va afegir en Mac, mentre, d'alguna manera, aconseguia entaforar-se tot un Caramac a la boca—. La vaig veure ahir al quiosc d'en Raj i va arrencar a plorar quan va veure una ampolla d'Orangina.

—Sí, d'acord, ho faré. Simplement, ara no ho puc fer, oi que no? No pas amb en Hawtrey assegut al costat —va explicar en Dennis amagant-se darrere del cos d'en Mac i tornant a mirar el partit.

El rival era Maudlin Street. Havien guanyat el trofeu els tres últims anys. Era una escola famosa per la seva duresa, i el seu equip jugava brut, amb entrades molt dures, cops de colze als rivals; una vegada fins i tot un jugador havia ficat un dit a l'ull de l'àrbitre. L'escola d'en Dennis, o més ben dit, la seva antiga escola, no l'havia guanyat mai, i el màxim que la majoria de gent esperava era que aconseguissin una derrota honrosa. Sobretot ara que havien expulsat el seu millor jugador...

Com es podia esperar, Maudlin Street va començar molt fort i va marcar durant els primers minuts del partit. Un dels jugadors va veure una targeta groga per retorçar el braç a un dels defensors abans de marcar un altre gol.

I un altre.

En Darvesh va córrer cap a on era en Gareth.

—No tenim cap possibilitat. Necessitem en Dennis!

—L'han expulsat, Darvesh. Vinga, podem guanyar sense ell.

—No, no podem. I ho saps perfectament!

En Gareth va córrer darrere de la pilota. Un altre gol de Maudlin Street.

Quatre a zero.

El partit era una massacre.

Hi va haver una treva de segons quan la mare d'en Darvesh i la senyoreta Windsor se'n van endur un de l'equip amb llitera. Un dels davanters de

Maudlin Street li havia trepitjat la cama «sense vo-
ler». En Darvesh va escridassar en Gareth.

—Sisplau, Gareth, fes-hi alguna cosa!

En Gareth va sospirar i va córrer cap a on era el
senyor Hawtrey.

—Què vols, noi? Això és un desastre! Esteu
avergonyint l'escola! —va cridar el director.

—Ho sento, senyor, però vostè va expulsar el
millor jugador que tenim. Sense en Dennis, no te-
nim cap possibilitat.

—Aquest noi no jugarà.

La cara d'en Gareth era un poema.

—Però, senyor, el necessitem.

—No penso deixar que aquella desgràcia hu-
mana vestida de noia representi l'escola.

—Sisplau, senyor...

—Continua jugant, noi —li va ordenar el se-
nyor Hawtrey, mentre amb un gest se'l treia del
damunt.

En Gareth va tornar corrent al camp. Al cap de pocs segons, jeia a terra recargolant-se de dolor sobre la gespa molla, després que un dels davanters de Maudlin Street li hagués estavellat una pilotada a l'engonal.

El davanter havia recuperat la pilota i havia marcat un altre gol.

Cinc a zero.

—Sap perfectament que hauria de deixar jugar aquest noi, senyor director —el va apressar la mare d'en Darvesh.

—Li agrairia que s'ocupés de les seves coses, senyora —va replicar el senyor Hawtrey.

—Vinga, Mac —li va ordenar la Lisa—. Necessito que em donis un cop de mà.

—On aneu, nois? —va preguntar en Dennis.

—Ja ho veuràs —va contestar la Lisa picant-li l'ullet. Va travessar el camp de joc amb en Mac estalonant-la.

Els aficionats de Maudlin Street van tornar a cridar d'eufòria. Un altre gol.

Sis a zero.

En Dennis va tancar els ulls. No podia continuar mirant.

18

Un miler de somriures

—On diantre s'han ficat? —va cridar el senyor Hawtrey a ningú en concret.

La segona part estava a punt de començar, i tots els jugadors de Maudlin Street esperaven ja al camp, amb ganes de culminar la seva tasca de demolició. L'equip de l'escola havia desaparegut. Potser havia fugit?

Aleshores, de sobte, la Lisa va sortir del vestidor i va aguantar la porta oberta.

El primer de sortir va ser en Gareth amb un vestit de nit brocat daurat.

Darrere seu en Darvesh duia un vestit groc de punts....

Després, van sortir els defensors amb vestits de còctel vermells a joc...

La resta de l'equip venia darrere amb peces del guarda-roba de la Lisa... I, finalment, va sortir en Dennis del vestidor, duent un vestit rosa de dama d'honor.

Es va sentir una enorme ovació del públic. En Dennis va mirar la Lisa i va somriure.

—Som-hi, noi —va cridar.

Mentre corrien cap al camp, el senyor Hawtrey va cridar en Gareth.

—QUÈ DIANTRE CREUS QUE ESTEU FENT, NOI?

—Vostè va expulsar en Dennis per dur un vestit, però no pot pas expulsar-nos a tots, senyor! —va respondre amb to triomfant.

Tots els nois de l'equip es van alinear darrere el seu capità, fent posturetes com si fossin ballarins en un videoclip de la Madonna. El públic va embogir.

—AIXÒ ES UN DESASTRE! —va bramar el senyor Hawtrey. Va marxar rabent, brandant el seu bastó.

En Gareth va fer un somriure a en Dennis.

—Vinga, nois. Som-hi! —els va animar en Gareth.

L'àrbitre, sorprès, va fer sonar el xiulet abans que li caigués de la boca. Al cap de pocs segons, en Dennis ja havia marcat un gol. L'equip de Maudlin Street estava en estat de xoc.

Encara perdien per sis a un, però en Dennis i els seus companys havien entrat al partit.

—Uau! —va cridar en Darvesh, mentre s'apujava la faldilla i driblava un defensor.

Rient, en Dennis va tornar a marcar. Estava a

punt d'aconseguir un *hat-trick* i era cent cops més feliç del que mai ho havia estat. Estava fent al mateix temps les dues coses que més li agradaven: jugar a futbol i dur un vestit. Tot seguit, va marcar en Darvesh, després de lliscar per terra i deixar una gran taca de gespa al vestit quan va superar el porter de Maudlin Street.

Sis a tres.

—El meu noi! El meu noi que duu el vestit groc de punts ha marcat! —va cridar la mare d'en Darvesh.

Estaven desbocats. En Dennis va fer una fantàstica passada creuada per a en Gareth, que només la va haver d'empènyer fins a la xarxa.

Sis a quatre.

En Gareth, com que era com era, va celebrar el gol com si el repetissin una vegada i una altra a *Match of the Day*: fent tres voltes d'honor al camp i aixecant-se el vestit de festa brocat daurat mentre corria. El públic reia i animava. Aleshores, va arribar un altre gol. I un altre.

Sis a sis.

Quedaven molt pocs minuts perquè s'acabés el partit.

Un gol més i ho haurien aconseguit.

—Vinga, Dennis! —va cridar la Lisa—. Pots aconseguir-ho!

En Dennis la va buscar amb la mirada i va somriure. «Seria genial marcar ara», va pensar, «sobretot davant de la Lisa... la meva futura esposa.»

Però, en aquell moment, va caure a terra recargolant-se de dolor.

El públic va contenir la respiració.

Un dels defensors de Maudlin Street l'havia tombat. Li havia donat una puntada a la canyella quan ell ni tan sols tenia la pilota. En Dennis jeia al fang, agafant-se la cama amb un dolor terrible. L'àrbitre no havia vist res.

—Fa teatre! —va protestar el jugador de Maudlin Street.

El públic el va escridassar.

En Dennis estava fent un gran esforç per no plorar. Va obrir els ulls, però tenia la vista borrosa.

Ajagut a terra, amb la galta contra la gespa, va aixecar el cap per mirar el públic. A través de les llàgrimes va veure una jaqueta vermella de quadres que li era molt familiar...

I llavors la jaqueta de quadres vermells es va convertir en un home...

I llavors l'home va cridar, amb una veu ronca que encara li era més familiar.

—EI! QUÈ ESTÀ PASSANT AQUÍ?

El pare.

En Dennis no s'ho podia creure. El pare mai no havia anat a veure'l jugar amb l'escola, i ara, en Dennis era allí, jaient a terra amb els ulls plens de llàgrimes i amb un vestit posat. S'havia ficat en un bon embolic...

Però el pare va mirar en Dennis i va somriure.

—EI, ÀRBITRE! —va cridar—. Aquell noi ha donat una puntada al meu fill!

En Dennis es va posar dret, amb la cama encara adolorida però amb una sensació d'escalfor recorrent-li el cos. Es va calmar i va tornar el somriure al pare.

—Estàs bé? —li va preguntar en Darvesh.

—Sí —va contestar en Dennis.

—VINGA, FILL! —va cridar el pare d'en Dennis, ara completament ficat en el partit—. TU POTS!

—Li he trucat a la mitja part —va explicar en Darvesh—. Després del que em vas dir, que el teu pare mai no havia vingut a veure't jugar un partit, he pensat que no voldries que es perdés aquest.

—Gràcies, col·lega —va contestar en Dennis. Sempre que pensava que en Darvesh ja no el podia sorprendre, que no podia ser un amic millor, ho aconseguia.

En Gareth va prendre la pilota a un dels nois de Maudlin Street. En Darvesh va córrer per la banda, i en Gareth li va passar la pilota. Maudlin Street va carregar contra en Darvesh i el noi va tornar la pilota a en Gareth. En Gareth es va espantar durant uns segons, abans de passar-la a en Dennis, que es va esmunyir entre la defensa per fer una vaselina per damunt del porter que va acabar al fons de la xarxa.

El porter no va tenir cap possibilitat.

Sis a set!

Es va sentir el xiulet final. S'havia acabat el par-tit.

—Síí íí11111111111 111111111111111111 —va cridar el públic.

—BEN FET, FILL MEU! —va cridar el pare d'en Dennis.

En Dennis el va mirar i va somriure. Durant uns segons li va semblar que havia vist la cara d'en John entre el públic, però no n'estava segur, perquè amb tota l'excitació ho veia tot borrós. En Gareth va ser el primer de córrer a abraçar-lo. El següent va ser en Darvesh. Al cap de pocs segons, tots s'estaven abraçant i celebrant la victòria. L'escola mai no havia arribat ni tan sols a la final, i ara acabava de guanyar la copa!

El pare no podia contenir la seva excitació i va saltar al camp. Va aixecar en Dennis d'una revolada i el va pujar a les espatlles.

—Aquest és el meu fill! Aquest és el meu noi! —va cridar el pare, inflat d'orgull.

El públic va tornar a ovacionar-los. En Dennis va fer un miler de somriures. Va abaixar el cap per mirar en Gareth, en Darvesh i la resta de l'equip, tots amb els vestits.

«Només hi ha un problema», va pensar en Dennis. «Ara ja no em sento tan diferent.»

Però es va guardar aquell pensament.

19

Arrossegar-se pel fang

L'equip de Maudlin Street i els seus aficionats van marxar murmurant coses com ara «robatori», «revenja» o «colla de tramposos!».

En Gareth va donar la copa de plata brillant a en Darvesh perquè la subjectés.

El públic va aplaudir.

—El meu fill! El meu fill, el futbolista! I el groc et queda tan bé! —va exclamar la mare d'en Darvesh. En Darvesh va mirar la seva mare i li va donar la copa.

—Aquesta copa és per a tu, mare —va dir.

La dona es va treure un mocador de paper i es

va eixugar una llàgrima dels ulls. En Darvesh, seguidament, va donar la copa a en Dennis. En aquell mateix moment va reaparèixer el senyor Hawtrey.

—TU NO, NOI!

—Però, senyor... —va implorar en Dennis.

—Continues expulsat de l'escola.

El públic el va començar a escridassar. En Mac es va treure el caramel de toffee que tenia a la boca i s'hi va afegir. Fins i tot la senyoreta Windsor es va permetre un petit xiscle propi de la Revolució Francesa.

—SILENCI!

I es va fer el silenci. Fins i tot els adults estaven espantats.

—Però em pensava... —va començar a dir en Dennis.

—Pensessis el que pensessis, noi, estaves equivocat —va replicar el senyor Hawtrey—. I ara surt dels terrenys de l'escola abans que truqui a la policia.

—Però, senyor...

—ARA!

El pare va intervenir.

—Vostè és un autèntic idiota! —va dir. El senyor Hawtrey es va quedar de pasta de moniato. Mai ningú no li havia parlat així—. El meu noi acaba de guanyar la copa per a la seva escola!

—El meu fill també hi ha ajudat! —va afegir la mare d'en Darvesh.

—Però en Dennis estava expulsat —va explicar el senyor Hawtrey amb un somriure molt desagradable.

—Sap una cosa? Se m'acut que li podria fotre aquesta copa pel cul! —li va etzibar el pare.

—Ostres, aquest home és pitjor que jo —va murmurar la mare d'en Darvesh.

—Escolti, senyor...

—Sims. I ell és en Dennis Sims. El meu fill, en Dennis Sims. Recordi aquest nom. Algun dia serà un futbolista famós. Escolti bé el que li dic. I jo sóc el seu pare, i no podria estar-ne més orgullós. Vinga, noi, marxem cap a casa —va dir el pare, mentre agafava en Dennis de la mà i travessaven junts el camp.

El vestit d'en Dennis es va arrossegar pel fang, però el noi agafava fort la mà del pare, mentre trepitjava un seguit de bassals.

20

Brusa i faldilla

—Sento haver-te'l empastifat de fang —va dir en Dennis mentre tornava el vestit de dama d'honor a la Lisa. Era última hora de la tarda i tots dos seien al terra de l'habitació de la noia.

—Ho sento, Dennis. Ho he intentat —va dir la Lisa.

—Lisa, has estat fantàstica. Gràcies a tu he pogut jugar la final. Això és el que importava de debò. Suposo que hauré de buscar una altra escola que m'accepti: el noi del vestit.

—Potser Maudlin Street? —va proposar la Lisa amb un somriure.

En Dennis va riure. Van seure en silenci durant uns segons.

—T'enyoraré —va confessar ell.

—Jo també t'enyoraré, Dennis. Serà dur no veure't a l'escola, però ens podem continuar veient els caps de setmana, oi?

—Jo ho vull. Gràcies per tot, Lisa.

—Per què em dónes les gràcies? Per culpa meva t'han expulsat.

En Dennis va callar.

—Lisa, et vull donar les gràcies per haver-me obert els ulls.

La Lisa va mirar a terra, en un gest tímid. En Dennis mai no li havia vist fer una mirada com aquella.

—Ostres, gràcies, Dennis. És la cosa més bonica que m'han dit mai.

En Dennis va somriure i va anar agafant confiança.

—I t'he de dir una cosa, Lisa. Una cosa que fa segles que et vull dir.

—Sí?

—Estic totalment, bojament...

—Totalment, bojament, què?

Però en Dennis no ho podia dir. De vegades, costa molt dir el que un sent.

—T'ho diré quan sigui més gran.

—M'ho promets, Dennis?

—T'ho prometo.

Confio que ho farà. Tothom coneix algú que, quan el té al costat, li fa saltar el cor. Però fins i tot quan ets un adult, de vegades costa de dir el que sents.

La Lisa va acaronar els cabells d'en Dennis i ell va tancar els ulls per assaborir el moment.

De camí cap a casa, en Dennis va passar pel costat del quiosc d'en Raj. No volia aturar-se, però en Raj el va veure i va sortir a saludar-lo.

—Dennis, quina cara més trista que fas! Entra, vinga! Què diantre et passa, jovenet?

En Dennis li va explicar el que havia passat al partit de futbol, i en Raj va fer que no amb el cap per mostrar la seva incredulitat.

—Saps quina és la ironia, Dennis? —va reflexionar en Raj—. Aquesta gent que jutja tan ràpid, siguin professors, polítics o líders religiosos, solen amagar alguna cosa pitjor!

—Potser sí —va murmurar en Dennis, mig escoltant-lo.

—Res de potser, Dennis. És veritat. Aquest director que tens, com es diu?

—Senyor Hawtrey.

—Això mateix, el senyor Hawtrey. M'hi jugo el que vulguis que amaga alguna cosa estranya.

—Estranya? —va preguntar en Dennis, intrigat.

—No n'estic segur —va continuar explicant en Raj—, però abans sempre venia els diumenges a les set en punt del matí per comprar el *Telegraph*. Cada setmana a la mateixa hora, com un clau. I, al cap d'un temps, va deixar de venir i va començar a fer-ho la seva germana. Si més no, ell em va dir que era la seva germana.

—Què vols dir?

—Bé, no puc posar-hi la mà al foc, però hi ha alguna cosa molt estranya en aquella dona.

—De debò? Què?

—Vine demà a les set del matí i descobreix-ho tu mateix. —En Raj es va tocar el nas—. I ara, no voldràs pas l'altra meitat de la barra Chomp? No tinc manera d'encolomar-la.

—És molt d'hora per ser un diumenge —es va queixar la Lisa—. Són tres quarts de set del matí. Hauria de ser al llit.

—Ho sento —va contestar en Dennis.

—O sigui, que en Hawtrey té una germana. I què?

—Doncs que en Raj m'ha dit que hi ha alguna cosa rara en ella. Mira, serà millor que ens afanyem si volem ser al quiosc a les set.

Van accelerar el pas pels carrers freds i boirosos. El terra estava moll perquè a la nit havia caigut una tempesta. Encara no hi havia ningú despert, fet que donava a la ciutat un aspecte tètric. Lògicament, la Lisa duia talons, tot i que en aquells moments en Dennis no estava per històries. L'únic que es podia sentir era el clic-clac dels seus tacons pel carrer.

Llavors, entre la boira grisa va sorgir una dona molt alta vestida de negre. Va entrar al quiosc. En Dennis va donar un cop d'ull al rellotge.

Les set en punt.

—Deu ser ella —va xiuxiuejar en Dennis. Es van acostar a l'aparador sense fer soroll i van mirar a través del vidre. Aquella dona efectivament estava comprant un exemplar del *Sunday Telegraph.*

—Així, doncs, està comprant un diari. I què? —va xiuxiuejar la Lisa.

—Xst! —li va ordenar en Dennis—. Encara no ens l'hem pogut mirar bé.

En Raj va veure en Dennis i la Lisa a través del vidre i els va picar l'ullet quan la dona es va girar. Es van amagar darrere una paperera quan la dona va sortir del quiosc. Ni en Dennis ni la Lisa no es podien creure el que veien. Si aquella era la germana del senyor Hawtrey, devien ser bessons. Fins i tot duia bigoti!

Aquella figura va fer una mirada al voltant per assegurar-se que no hi havia ningú i després va baixar ràpidament el carrer. En Dennis i la Lisa es van intercanviar una mirada i van somriure.

T'hem enxampat!

—SENYOR HAWTREY! —va cridar en Dennis.

La figura es va girar i va dir en una veu greu i masculina:

—Sí? —Però abans va apujar el to de veu per fer-ne un de més femení—: Mmm, vull dir, no!

En Dennis i la Lisa s'hi van acostar.

—No sóc el senyor Hawtrey. No, no, i tant que no. Sóc la Doris, la seva germana.

—Deixi-ho córrer, senyor Hawtrey —va dir la Lisa—. Potser som nens, però no som estúpids.

—I per què duu bigoti? —el va interrogar en Dennis.

—Tinc un petit problema de pèl facial —va respondre, ofès. En Dennis i la Lisa van riure—. Ah, ets tu. El noi del vestit —va dir el senyor Hawtrey amb veu masculina. Sabia que tot s'havia acabat.

—Sí —va contestar en Dennis—, el noi que va expulsar per dur un vestit. I ara vostè també duu un vestit.

Brusa i faldilla

—No és un vestit, noi. És una brusa i una faldilla —el va corregir el senyor Hawtrey.

—Uns talons molt bonics, senyor —va intervenir la Lisa.

Al senyor Hawtrey, els ulls li van sortir de les òrbites.

—Què voleu de mi? —va preguntar.

—Vull que readmeti en Dennis a l'escola —va exigir la Lisa.

—Temo que serà impossible. No dur l'uniforme escolar correcte és una falta molt greu —va contestar el senyor Hawtrey amb la confiança pròpia d'un director d'escola.

—Bé, doncs, què passaria si se sabés que li agrada vestir-se així? —va preguntar la Lisa—. Seria objecte de moltes burles.

—Intentes fer-me xantatge? —va preguntar severament el senyor Hawtrey.

—Sí —van contestar alhora la Lisa i en Dennis.

—Oh —va fer el senyor Hawtrey, tot d'una derrotat—. Bé, pel que sembla, no tinc elecció. Vine a l'escola dilluns al matí. Amb l'uniforme escolar correcte, noi. Però has de jurar que mai no explicaràs això a ningú —va afegir severament el senyor Hawtrey.

—Ho juro —va contestar en Dennis.

El senyor Hawtrey va mirar la Lisa, que es va quedar callada durant uns segons, gaudint del poder que encara tenia sobre ell. Lluïa un somriure d'orella a orella.

—D'acord, d'acord. Jo també ho juro —va acabar dient.

—Gràcies.

—Ah, i una altra cosa que gairebé oblido —va dir en Dennis.

—Sí?

—Sí, des d'ara volem tenir pilotes de futbol de debò a l'hora del pati —va continuar dient en

Dennis confiadament—. Jugar amb pilotes de tennis és terrible.

—Res més? —va remugar el senyor Hawtrey.

—No, em sembla que això és tot —va contestar en Dennis.

—Si se'ns acut res més, ja li ho farem saber —va afegir la Lisa.

—Moltes gràcies —va dir sarcàsticament el senyor Hawtrey—. Sabeu una cosa? Ser director d'escola no sempre és fàcil. Et passes el dia escridassant la gent, renyant-los, expulsant-los... Necessito vestir-me així per agafar una mica d'aire.

—Això està molt bé, però... per què no mira de ser una mica més amable amb tothom? —va preguntar la Lisa.

—Quina idea més absurda! —va exclamar el senyor Hawtrey.

—Així, doncs, fins dilluns, senyoreta! —va dir en Dennis rient—. Ho sento. Volia dir, senyor!

El senyor Hawtrey es va girar i va començar a córrer tan de pressa com l'hi van permetre els talons. Quan estava a punt de tombar la cantonada, es va treure les sabates, les va agafar amb les mans i va començar a esprintar.

En Dennis i la Lisa van riure tan fort que van despertar tot el carrer.

21

Mans grosses i peludes

—Per què duus això? —va preguntar el pare.

Era dilluns al matí i es mirava en Dennis, que seia a la taula de la cuina menjant cereals d'arròs, i, per primer cop en una setmana, portava l'uniforme de l'escola.

—Avui torno a l'escola, pare —va contestar en Dennis—. El director ha canviat de parer sobre la meva expulsió.

—Ah, sí? Per què? Aquell home és una desgràcia.

—És una història molt llarga. Suposo que, al capdavall, ha pensat que la falta del vestit no era tan terrible.

—Doncs, té raó. No ho és. Saps què? Em vaig sentir molt orgullós de tu, al camp. Vas ser molt valent.

—Realment, aquell noi em va clavar una puntada molt forta —va reconèixer en Dennis.

—No només em referia a això. Em referia al fet de sortir al camp amb un vestit. Això va ser valent. Jo no gosaria fer-ho. Ets un gran noi, de debò. Les coses no han estat fàcils per a tu des que la mare va marxar. Jo he estat molt desgraciat i sé que de vegades us ho fet pagar, a tu i al teu germà, i em sap greu.

—No passa res, pare. Encara t'estimo.

El pare va buscar a la butxaca de la jaqueta i en va treure la fotografia que havia fet de la seva família a la platja.

—No he tingut el coratge de cremar-la, fill. Simplement, em resulta massa dolorós mirar fotos com aquesta. Estimava molt la teva mare, saps? Al capdavall, encara l'estimo. Ser un adult és així de complicat. Però, és la teva foto, Dennis. Guarda-la.

La mà del pare tremolava quan va tornar la fotografia socarrimada al seu fill. En Dennis la va mirar de nou, abans de ficar-se-la amb compte a la butxaca del pit.

—Gràcies, pare —va contestar.

—Tot bé? —va preguntar en John quan va entrar a la cuina—. O sigui, que tornes a l'escola...

—Sí —va contestar en Dennis.

—L'estúpid del director ha canviat de parer —va intervenir el pare.

—Bé, penso que ets molt valent de tornar —va explicar en John mentre posava unes torrades a la torradora—. Alguns dels nois més grans et volen picar el crostó.

—Bé, en aquest cas, tu cuidaràs el teu germà, oi, John? —va preguntar el pare.

—Sí, ho faré. Si algú li fa res, m'hi tornaré. Ets el meu germà i penso protegir-te.

—Bon noi, John —va dir el pare, intentant no

plorar—. He de marxar, nois. He de portar un carregament de rotlles de paper de vàter a Bradford.

Va caminar fins a la porta i, de sobte, es va girar:

—Ja sabeu que estic molt orgullós de tots dos.

Feu el que feu, sempre sereu els meus nois. Sou tot el que tinc.

Amb prou feines els podia mirar mentre parlava, i llavors va marxar ràpidament, tancant la porta darrere seu.

En Dennis i en John van intercanviar una mirada. Era com si s'hagués acabat una era glacial i ara brillés el sol per primer cop en un milió d'anys.

—És una pena que et perdessis la final —va dir en Dennis mentre es dirigien plegats cap a l'escola.

—Sí —va reconèixer en John—. Només és que havia de, ja saps, anar al centre d'esports amb els col·legues.

—És curiós. Per un moment, em va semblar veure la teva cara entre el públic, però suposo que devia ser algú altre.

En John va tossir.

—Bé, de fet, d'alguna manera era allí...

—Ho sabia! —va dir en Dennis, somrient—. Per què no et vas deixar veure?

—Estava a punt de fer-ho —va murmurar en John—. Però, simplement, no vaig poder saltar al camp i començar a abraçar a tothom. Ho volia fer, de debò, però... No ho sé, ho sento.

—Bé, estic content que vinguessis, encara que no m'ho diguessis. No has de sentir res.

—Gràcies. Em sap greu.

Van caminar en silenci durant uns segons.

—Però el que encara no entenc... —va confessar en John— ... és per què ho vas fer.

—Fer què?

—En primer lloc, posar-te aquell vestit.

—Per ser franc, no ho sé —va contestar en Dennis, amb una expressió de desconcert a la cara—. M'imagino que perquè era divertit.

—Divertit? —va preguntar en John.

—Bé, te'n recordes, de quan érem més petits i

corríem pel jardí fent veure que érem en Daleks o l'Spiderman o qui fos?

—Sí.

—Em feia sentir igual. Com si estigués jugant —va contestar en Dennis, confiat.

—Abans m'agradava jugar —va confessar en John, gairebé a si mateix, mentre continuaven baixant el carrer.

—Què diantre...? —va exclamar en John, quan ell i en Dennis van entrar al quiosc d'en Raj i el van veure enfundat en un sari de color verd llampant.

I una perruca.

I maquillatge.

—Bon dia, nois! —va saludar en Raj amb una veu ridículament aguda.

—Bon dia, Raj —va contestar en Dennis.

—Oh, no, no sóc en Raj —va contestar—. Avui en Raj no ha pogut venir, però m'ha deixat al capdavant del negoci. Sóc la seva tieta Indira!

—Raj, sabem que ets tu —va contestar en John.

—Ostres, noi —va dir en Raj, decebut—. M'he llevat a primera hora per vestir-me d'aquesta manera. Què és el que m'ha descobert tan de pressa?

—La barba de quatre dies —va contestar en Dennis.

—La nou del coll —va afegir en John.

—Aquestes mans tan grosses i peludes —va continuar en Dennis.

—D'acord, d'acord. Ja ho he entès —va contestar apressadament en Raj—. Confiava que et podria tornar la jugada, Dennis, després que aconseguissis enganyar-me.

—Home, has estat a punt, Raj —va dir amb amabilitat en Dennis—. Ets extraordinàriament convincent com a dona. —Va somriure, observant

amb admiració el vestit d'en Raj—. Digues, d'on
has tret el sari?

—És de la meva dona. Per sort, és una dona
molt grossa i em va bé. —En Raj va abaixar la veu
durant uns segons per assegurar-se que ningú no
el pogués sentir—. No sap que l'hi he agafat, de
manera que, si la veieu, serà millor que no ho es-
menteu.

—No passa res, Raj, no ho farem —va prometre en Dennis.

—T'ho agraeixo molt. Et va anar bé la pista que et vaig donar sobre el director Hawtrey, oi? —va preguntar en Raj picant l'ullet que tenia maquillat.

—Oh, i tant, Raj, moltes gràcies —va contestar en Dennis, picant-li l'ull també.

—Què passa amb en Hawtrey? —va preguntar en John.

—No res. Només que li agrada llegir el *Sunday Telegraph*, això és tot —va contestar en Dennis.

—Bé, serà millor que marxem, si no, farem tard —va dir en John, estirant el braç del seu germà—. Mmm, només una bossa de Quavers, Raj.

—Compra'n dues, i et donaré la tercera gratis —va contestar en Raj, orgullós de l'oferta especial que acabava de fer.

—Molt bé, doncs —va dir en John—. Sona bé.

—Va agafar una altra bossa de Quavers i la va donar a en Dennis.

Llavors en Raj va treure un Quaver d'una bossa.

—I aquí tens el teu Quaver gratis. Això fa dues bosses de Quavers... cinquanta-vuit penics. Moltes gràcies!

En John semblava desconcertat.

—Que tinguis bona sort avui, Dennis —li va desitjar en Raj quan els dos nois sortien del quiosc—. Pensaré en tu.

22

Una cosa pendent de fer

En travessar la porta de l'escola, en Dennis va veure com en Darvesh l'esperava amb una pilota de futbol nova de trinca.

—T'apuntes a fer quatre xuts? —va preguntar en Darvesh—. La mare me la va comprar ahir. Ara podem jugar amb pilotes de debò al pati —va afegir, mentre botava la pilota amb gest triomfant.

—De debò...? —va preguntar en Dennis—. Em pregunto què deu haver fet canviar de parer en Hawtrey...

—Així, doncs, vols jugar? —va preguntar ansiós en Darvesh.

En aquell moment en Dennis va veure com la senyoreta Windsor aparcava el seu Dos Cavalls groc. No era ben bé cotxe, sinó una cafetera amb rodes, però era francès, i a ella li encantava.

—Ens veurem a la pausa, d'acord? —va proposar en Dennis.

—Molt bé, Dennis. Llavors jugarem un partit de debò —va contestar en Darvesh, fent tocs amb la pilota mentre se n'anava cap a classe.

—John, espera't aquí un segon, d'acord? —li va demanar en Dennis—. Tinc pendent de fer una cosa.

En Dennis va respirar fondo.

—Senyoreta! —va cridar.

En John es va quedar una mica endarrere.

—Ah, ets tu —va contestar la senyoreta Windsor amb una veu glacial—. Què vols?

—Només li volia dir que em sap molt greu. De debò. No hauria d'haver dit que té mal accent.

La senyoreta Windsor es va quedar callada i en Dennis no sabia on ficar-se. Intentava trobar alguna cosa per dir.

—Perquè realment no el té dolent. Té un accent francès molt bo, senyoreta, *mademoiselle*. Sembla que sigui francesa de debò.

—Bé, doncs, gràcies, Dennis, o *merci beaucoup*, Dennis, tal com diria en francès —va contestar la senyoreta Windsor, animant-se una mica—. Bona feina dissabte. Un partit fantàstic. Realment, estaves molt convincent amb un vestit, saps?

—Gràcies, senyoreta.

—De fet, estic contenta de tenir-te aquí —va afegir la senyoreta Windsor—, perquè he escrit una obra...

—Ah, sí? —va preguntar en Dennis, inquiet.

—És una obra sobre la vida de Joana d'Arc, la màrtir religiosa francesa del segle xv...

—Ostres, això sona... mmm.

—Cap noia no vol fer el paper. Sigui com sigui, he pensat que seria fantàstic que un noi el fes, per-què ella, és clar, era una noia però duia roba de noi.

Dennis, crec que series una Joana memorable. Què me'n dius?

En Dennis va mirar el seu germà buscant ajuda, però en John es va limitar a somriure.

—Ostres, realment sona... interessant.

—Fantàstic! Parlem-ne a l'hora del pati tot menjant un *pain au chocolat*.

—D'acord, senyoreta —va contestar en Dennis, intentant dissimular la por que li feia. Va marxar a poc a poc sense dir res, tal com ho faria algú que s'allunya d'una bomba que pot explotar en qualsevol moment.

—Ah, t'hauria d'haver dit que tota l'obra és en francès. *Au revoir!* —va cridar darrere seu.

—*Au revoir* —va contestar ell amb l'accent menys francès que va poder.

—Ostres, no m'ho penso perdre! —va exclamar en John rient.

Mentre caminaven tots dos cap a l'edifici principal de l'escola, en John va fer passar el braç per l'espatlla del seu germà.

En Dennis va somriure.

Tot d'una, el món semblava diferent.

Agraïments

M'agradaria donar les gràcies al meu agent literari d'Independent Talent, en Paul Stevens; a la Moira Bellas i a tot l'equip d'MBC PR; a tots els de HarperCollins, i especialment a l'editora en cap, l'Ann-Janine Murtagh, i al meu editor de taula, en Nick Lake, per creure en aquest projecte i haver-lo recolzat des de bon començament; a en James Annal, el dissenyador de coberta; a l'Elorine Grant, l'encarregada de maquetació; a la Michelle Misra, correctora amb molt bon ull; a l'altra meitat del meu cervell, que és en Matt Lucas; a la meva fan més gran, la Kathleen, que també és la meva mare, i a la meva germana Julie, per haver estat la primera persona a qui se li va ocórrer posar-me un vestit.

Però per damunt de tot vull donar les gràcies al gran Quentin Blake, que ha aportat al llibre més del que mai m'hauria atrevit a somiar.

NO ET PERDIS LES AVENTURES DE...

LES HAMBURGUESES DE RATA

Us presento els personatges d'aquesta història:

Pare, un pare

Burt,
el venedor d'hamburgueses

Zoe, la nena

Sheila,
la madrastra de la Zoe

El senyor Grave, el
director de l'escola

La senyoreta
Nanny,
la mestra
nana

Raj,
el quiosquer
gros

Tina Trotts,
la busca-raons
del barri

Bunyolet,
l'hàmster
mort

Armitage,
la rata viva

1

Alè de patates xips
amb gust de còctel de gambes

L'hàmster era mort.

D'esquenes a terra.

Potes enlaire.

Mort.

Amb les llàgrimes regalimant-li galtes avall, la Zoe va obrir la gàbia. Li tremolaven les mans i estava destrossada. Mentre col·locava el cos diminut i pelut d'en Bunyolet damunt la moqueta gastada, va pensar que mai més no tornaria a somriure.

—Sheila! —va cridar la Zoe, tan fort com va poder. Per molt que el seu pare l'hi demanés, la Zoe es negava a dir «mama» a la seva madrastra. No ho havia fet mai, i havia jurat que mai no ho faria. Ningú podria ocupar el lloc de la mare de la Zoe, i a més la Sheila no feia cap esforç per aconseguir-ho.

—Calla d'una vegada! Estic mirant la tele i omplint-me el pap! —es va sentir la veu aspra de la dona des de la sala.

—És en Bunyolet! —va cridar la Zoe—. No es troba bé!

Això era quedar-se curt.

La Zoe va recordar el capítol d'una sèrie de televisió en el qual una infermera intentava ressuscitar un ancià que agonitzava, i va intentar desesperadament aplicar el boca a boca al seu hàmster, tot bufant-li amb molta suavitat per la boca. No va funcionar. Tampoc va servir de res connectar el petit cos del rosegador a una pila amb un clip de paper. Ja era massa tard.

Quan el va tocar, va notar que el cos de l'hàmster estava fred, rígid.

—Sheila! Ajuda'm, sisplau...! —va cridar la nena.

Al principi, el plor de la Zoe havia estat silenciós, però ara va deixar anar un gemec gegantí. Per fi va sentir que la seva madrastra recorria pesadament i a contracor el passadís del petit apartament, que estava situat a la trenta-setena planta d'un bloc de pisos inclinat. Aquella dona produïa uns sorolls enormes, de tant que li costava bellugar-se, cada vegada que havia de fer alguna cosa. Era tan mandrosa que de vegades li demanava a la Zoe que li tragués les burilles, a la qual cosa per descomptat la Zoe sempre deia que no. La Sheila era capaç de gemegar de dolor només de canviar el canal del televisor amb el comandament a distància.

—Uf, uf, uf, uf... —esbufegava la Sheila mentre recorria el passadís amb gran rebombori. La madrastra de la Zoe era força baixeta, però ho compensava amb una amplària que gairebé igualava l'alçada.

En resum, era esfèrica.

Les hamburgueses de rata

La Zoe va notar de seguida que la dona s'estava dreta al llindar de la porta, perquè havia bloquejat la llum com si fos un eclipsi lunar. I no solament això, la Zoe també va sentir l'olor de patates xips amb gust de còctel de gambes. A la seva madrastra li encantaven. De fet, afirmava orgullosa que des de ben petita s'havia negat a menjar cap altra cosa, i s'havia dedicat a escopir qualsevol altre aliment a la cara de la seva mare. La Zoe trobava que les xips pudien, i no només a gamba. Per descomptat, l'alè de la dona també feia una fortor horripilant.

Fins i tot ara, de la porta estant, la madrastra de la Zoe duia en una mà una bossa d'aquell aperitiu tòxic, i feia servir l'altra mà per anar-se enclastant les patates a la boca mentre supervisava l'escena. Anava vestida com sempre, amb una samarreta blanca llarga i llardosa, malles negres i sabatilles roses de pelfa. Els fragments de pell que quedaven al descobert estaven recoberts de tatuatges. Als

braços hi duia escrits els noms dels seus exmarits, que després havien estat barrats amb una creu:

—Déu meu —va escopir la dona, amb la boca plena de patates xips—. Déu meu, Senyor, quina pena que em fa. Em trenca el cor. La pobra *cosseta* l'ha dinyat!

Va mirar per damunt l'espatlla de la seva fillastra i va inspeccionar l'hàmster mort. Mentre parlava anava ruixant la moqueta de trossos mig mastegats de patates xips.

—Déu meu, Déu meu i tota la pesca —va afegir, amb un tot que no semblava ni remotament trist.

En aquell moment, un tros enorme de patata mig mastegada va sortir disparat de la boca de la Sheila i va anar a parar al rostre esponjós de la pobra criatura. Era una barreja de patata i de saliva.*

La Zoe l'hi va netejar amb suavitat, i va vessar una llàgrima que va caure sobre el nassarró fred i rosat.

—*Ascolta...* tinc una gran idea! —va dir la madrastra de la Zoe —. M'acabo aquestes patates i tu fiques l'animalot dins la bossa. Jo no el toco ni boja. No vull que m'agafi alguna *cossa*.

La Sheila va alçar la bossa per damunt la boca, la va abocar tota i va engolir àvidament les molles que quedaven de patates xips amb gust de còctel de gambes. Aleshores la dona va oferir la bossa buida a la seva fillastra.

—Aquí la tens. Fica'l aquí, de pressa. Abans que la pudor impregni tota la *cassa*.

* El terme tècnic seria «escoxipada».

La Zoe va haver de reprimir un crit ofegat en sentir aquella frase tan injusta. El que realment estava impregnant la casa d'una fortor insuportable era l'alè de patates xips amb gust de còctel de gambes d'aquella foca. Una sola alenada podria fer caure la pintura de les parets. Deixar sense plomes un ocell fins a deixar-lo calb. Segons la direcció del vent, aquell alè podrit es podria sentir en una ciutat situada a quinze quilòmetres de distància.

—No penso enterrar el pobre Bunyolet dintre d'una bossa de patates —va etzibar la Zoe—. No t'hauria d'haver cridat. Vés-te'n, sisplau.

—Per l'amor de Déu, nena! —va cridar la dona—. Només et volia ajudar. Miserable, *dessagraïda*!

—Doncs no m'estàs ajudant gens! —va cridar la Zoe, sense girar-se—. Vés-te'n, sisplau!

La Sheila va sortir rondinant de l'habitació i va tancar la porta amb un cop tan fort que va fer caure el guix del sostre.

La Zoe va sentir com la dona a qui es negava a dir «mama» tornava treballosament a la cuina, segurament per obrir una altra bossa de mida familiar de patates xips amb gust de còctel de gambes per omplir-se el pap novament. La nena es va quedar tota sola al petit dormitori, tot gronxant l'hàmster mort.

Però, com havia mort? La Zoe sabia que era massa jove, fins i tot si ho comptava en anys de hàmster.

«Pot haver estat un assassinat?», es va preguntar.

Però quina mena de persona voldria assassinar un pobre hàmster indefens?

Doncs bé, abans que s'acabi aquesta història, ho sabreu. I també sabreu que hi ha persones capaces de fer coses molt i molt pitjors. L'home més malvat del món ens aguaita en algun lloc d'aquest llibre. Si sou valents, seguiu llegint...

2

Una nena molt especial

Abans de conèixer aquest individu tan profundament retorçat, hem de retrocedir fins al punt on va començar tot.

La veritable mare de la Zoe va morir quan ella era molt petita, però, malgrat tot, els primers anys de la Zoe van ser molt feliços. La Zoe i el seu pare sempre havien format un bon equip, i ell la va inundar d'amor. Mentre la Zoe era a l'escola, el seu pare anava a treballar a la fàbrica de gelats. Li encantaven els gelats des que era nen, i li agradava molt treballar a la fàbrica, per bé que era una feina molt dura, de moltes hores i no gaire ben pagada.

El que mantenia la il·lusió del pare de la Zoe era inventar nous sabors. En acabar el torn a la fàbrica, tornava ràpidament a casa tot emocionat, amb una mostra d'un nou sabor, estrany i meravellós, que la Zoe seria la primera a tastar. I quan tornava a la fàbrica, informava al seu cap de quin era el sabor que havia agradat més a la nena. Aquests eren els favorits de la Zoe:

Esclat de sorbet

Xiclet bombollós

Remolí de triple xocolata, nous i *toffee*

Suprem de cotó ensucrat

Caramel amb crema

Sorpresa de mango

Glaçó de cola amb gelatina

Mantega de cacauet i escuma de plàtan

Pinya amb regalèssia

Explosió de refresc de sidral

El que li agradava menys era el de cargol amb bròquil. Ni tan sols el pare de la Zoe era capaç de fer que un gelat de cargol amb bròquil tingués bon gust.

No tots els sabors arribaven a les gelateries (el de cargol amb bròquil no hi va arribar), però la Zoe els tastava tots. De vegades menjava tant gelat que es pensava que explotaria. El millor de tot és que de vegades ella era l'única nena del món que els tastava, i això feia que se sentís molt especial.

Però hi havia un problema.

Com que era filla única, la Zoe no tenia ningú amb qui jugar a casa seva, a part del seu pare, que treballava moltes hores a la fàbrica. Per això, quan va tenir nou anys, i com molts nens de la seva edat, va començar a desitjar amb tota la seva ànima tenir un animal de companyia. No calia que fos un hàmster, però necessitava un ésser viu, no importava quin fos, per estimar-lo. Un ésser que, amb sort, també l'estimaria a ella. Però com que vivia en la planta trenta-setena d'un bloc de cases inclinat, havia de ser petit.

Així, el dia que la Zoe va complir deu anys, el seu pare va sortir d'hora de la feina i va anar a buscar la seva filla a l'escola per sorpresa. La va carregar a collibè —a ella això li agradava des que era petitona— i la va dur a la botiga d'animals del barri. Allà, li va comprar un hàmster.

La Zoe va escollir el més petitó, el més pelut, el més bufó, i li va posar Bunyolet.

En Bunyolet vivia en una gàbia a l'habitació de la nena. A la Zoe no li importava que en Bunyolet es passés la nit donant voltes amb la seva roda i no la deixés dormir. No li importava que li mossegués el dit de tant en tant quan ella li donava galetes de premi. Ni tan sols li importava que la gàbia fes pudor de pipí de hàmster.

En resum, la Zoe s'estimava molt en Bunyolet. I en Bunyolet s'estimava molt la Zoe.

La Zoe no tenia gaires amics, a l'escola. I no era només això. Els altres nens es burlaven d'ella perquè era baixeta i pèl-roja i havia de dur ferros a les dents. Una sola d'aquestes coses ja hauria estat suficient perquè ho passés malament. Però amb totes li havia tocat la grossa.

En Bunyolet també era petit i pèl-roig, és clar que de ferros no en duia. Probablement, en el fons, si la Zoe l'havia escollit entre les dotzenes de boletes de borrissol que s'apilaven darrere l'aparador de la botiga d'animals, era precisament perquè era tan petit i vermell. Devia notar que eren ànimes bessones.

Durant les setmanes i els mesos posteriors, la Zoe va ensenyar a en Bunyolet alguns trucs increïbles. Per aconseguir una pipa de gira-sol, era capaç de posar-se dret sobre les potes del darrere i fer un número de ball. Per una nou, en Bunyolet feia una tombarella cap enrere. I per un terròs de sucre, era capaç de giravoltar sobre l'esquena.

El somni de la Zoe era fer que el seu petit animaló és fes mundialment famós i que fos el primer hàmster que ballés *break dance*!

Tenia pensat organitzar un petit espectacle per Nadal per a tots els nens del bloc de pisos. Fins i tot va fer un pòster per anunciar-lo.

Fins que un dia el pare va arribar a casa amb una notícia molt trista: una notícia que va destrossar la vida tan feliç que duien.

3

Anlloc

—M'he quedat sense feina —va dir el pare de la Zoe.

—No! —va dir la Zoe.

—Tanquen la fàbrica. Traslladaran tota la producció a la Xina.

—Però trobaràs una altra feina, oi?

—Ho intentaré —va dir el seu pare—. Però no serà fàcil. Serem molts els que buscarem els mateixos llocs de treball.

I efectivament no va ser fàcil. De fet, va ser impossible. Com que tantes persones havien perdut la feina al mateix temps, el pare de la Zoe es va veure obligat a demanar el subsidi del govern. Era una misèria, amb prou feines donava per viure. Com que no tenia res a fer en tot el dia, el seu pare es va anar deprimint cada vegada més. Els primers mesos anava cada dia a l'oficina d'ocupació. Però no hi havia mai feina en un radi de cent quilòmetres a la rodona, i al final va començar a anar al pub en comptes de seguir buscant. La Zoe se'n va adonar perquè estava força segura que les oficines d'ocupació no obrien de nit.

La Zoe es va anar amoïnant cada cop més pel seu pare. De vegades pensava que havia renunciat completament a dur una vida digna. Perdre primer la seva dona, i després la feina, semblava massa per a ell.

Poc sabia el pobre home que les coses podien empitjorar encara més...

El pare havia conegut la madrastra en el moment més baix. Se sentia sol i ella no tenia a ningú. El seu darrer marit havia mort en un misteriós incident relacionat amb unes patates xips amb gust de còctel de gambes. La Sheila devia creure que els diners del subsidi del seu desè marit li permetrien una vida regalada, amb tabac a dojo i totes les patates xips a gust de còctel de gambes que fos capaç de menjar.

Com que la veritable mare de la Zoe havia mort quan ella era molt petita, per molt que ho intentés, i mireu que ho intentava, la Zoe no se'n recordava. En altres temps havien tingut fotos de la mama per tot el pis. La mama tenia un somriure molt agradable. La Zoe es quedava mirant fixament les fotos, i mirava d'imitar aquell somriure. Certament s'assemblaven molt. Sobretot quan somreien.

Però un dia que tothom era fora, la nova madrastra de la Zoe es va dedicar a despenjar totes les fotos. Va afirmar que les havia «perdut». Segurament les va cremar. Al pare no li agradava parlar de la mama, perquè sempre es posava a plorar. Però, malgrat tot, ella continuava viva al cor i al pensament de la Zoe. La nena sabia que la seva mare l'havia estimat molt. N'estava segura.

La Zoe també sabia que la seva madrastra no l'estimava gens. Ni tan sols li queia bé. De fet, la Zoe estava força segura que la seva madrastra l'odiava. En el pitjor dels casos, la Sheila la tractava com si fos una molèstia; i en el millor dels casos, com si fos invisible. Algunes vegades la Zoe li havia sentit dir que la volia fer fora de casa quan fos prou gran per valer-se per si mateixa.

—No li permetré que visqui de gorra tota la vida!

Aquella dona no li havia donat mai un cèntim, ni tan sols el dia del seu aniversari. Per Nadal, la Sheila havia regalat a la Zoe un mocador de paper rebregat, i havia rigut a la seva cara quan la nena l'havia desembolicat. Estava ple de mocs.

Poc després d'instal·lar-se a l'apartament, la madrastra de la Zoe va exigir que es desempalleguessin de l'hàmster.

—Fa pudor! —va xisclar.

Però després d'un interminable estira i-arronsa, la Zoe va aconseguir quedar-se l'animaló.

La Sheila seguia odiant en Bunyolet, però. Es queixava sense parar que el petit hàmster mossegava i foradava el sofà, quan en realitat era ella que els foradava amb la cendra dels cigarrets que es fumava! Una vegada i una altra, advertia la seva fillastra que «*txafaria* la bestiola *fastigossa* si algun dia la trobava fora de la gàbia».

La Sheila també es reia dels intents de la Zoe d'ensenyar *break dance* a l'hàmster.

—Perds el temps, amb tanta ximpleria. Aquesta bestiola i tu no arribareu mai *anlloc*. Em sents? *Anlloc!*

La Zoe la sentia, però s'estimava més no escoltar-la. Sabia que tenia un do amb els animals, el seu pare sempre l'hi havia dit.

De fet, la Zoe somiava de viatjar pel món sencer amb una gran companyia ambulant d'animals ensenyats. Algun dia aquests animals farien les delícies del món sencer. Fins i tot va fer una llista de quins podrien ser aquests números tan esbojarrats:

Una granota que
fa de discjòquei
superestrella

Una tortuga
d'estany que canta rap

Dos jerbus
que fan balls
de saló

Un elefant
que canta òpera

Un ruc que fa
trucs de màgia

Un centpeus
que balla claqué

Una *boy-band* formada íntegrament per conillets
d'Índies

Les hamburgueses de rata

Un grup de tortugues que ballen al carrer

Un gat que fa imitacions
(de gats famosos
dels dibuixos animats)

Una truja
que es dedica al ballet

Un cuc hipnotitzador

Un número de
funambulisme
amb vaques

Una formiga
ventríloqua

Les hamburgueses de rata

Un rata de camp que fa números increïbles,
com ara sortir disparada d'un canó

Una exhibició
de karate amb meduses

Un hipopòtam
que fa pònting

La Zoe ho tenia tot pensat. Amb els diners que guanyarien amb els animals, el seu pare i ella podrien fugir per sempre més del bloc d'apartaments ruïnós i inclinat. La Zoe podria comprar al seu pare un pis molt més gran, i ella es retiraria a una casa de camp enorme on instal·laria un santuari per a animals de companyia abandonats. Els animals es passarien el dia corrent lliures pels camps, i de nit dormirien tots junts en un llit gegant. A la porta d'entrada, hi hauria un rètol que diria: «Cap animal és massa gran o massa petit. Aquí els estimem a tots».

Però llavors va arribar aquell dia infaust. El dia en què la Zoe havia arribat a casa de l'escola i havia trobat mort en Bunyolet. I amb ell també va morir el seu somni de ser una domadora famosa d'animals.

I ara, estimat lector, després d'aquest breu viatge en el temps, tornem al començament, perquè ja estem llestos per continuar la nostra història.

Però no torneu al principi, perquè seria una ximpleria i us trobaríeu donant voltes en cercle i llegint sempre les mateixes pàgines. Heu de fer el contrari. Gireu pàgina i continuaré explicant aquesta història. Som-hi. Deixeu de llegir això i tireu cap endavant. Ara mateix!

David Walliams

David Walliams
La increïble història de
L'ÀVIA
GANGSTER

David Walliams
La increïble història de...
LES HAMBURGUESES
de RATA

David Walliams
La increïble història de...
EL NOI
DEL MILIÓ

David Walliams
La increïble història de...
LA DENTISTA
DIMONI

David Walliams
La increïble història de...
EL NOI
DEL VESTIT

David Walliams
La increïble història de...
UN AMIC
EXCEPCIONAL

David Walliams
La increïble història de...
LA TIETA
TERRIBLE

David Walliams
La increïble història de...
LA GRAN FUGA
DE L'AVI

David Walliams
La increïble història dels
AMICS DE
MITJANIT

David Walliams
La increïble història de
EL PAPA
PISPA

David Walliams
La increïble història de...
EL GEGANT
AL·LUCINANT

David Walliams
La increïble història de...
LA COSA
MÉS ESTRANYA DEL MÓN

David Walliams
La increïble història de...
EL MONSTRE
DEL PALAU DE
BUCKINGHAM

David Walliams
La increïble història de...
UN SLIME
GEGANT

Montena